D0784631

L’héritier des Makricosta

DANI COLLINS

L'héritier des Makricosta

HARLEQUIN

Collection : Azur

Cet ouvrage a été publié en langue anglaise
sous le titre :
AN HEIR TO BIND THEM

Traduction française de
BARNABE D'ALBES

HARLEQUIN
83-85, boulevard Vincent-Auriol, 75646 PARIS CEDEX 13
Service Lectrices — Tél. : 01 45 82 47 47

www.harlequin.fr

ISBN 978-2-2803-2786-2 — ISSN 0993-4448

Prologue

La ligne du littoral se dessinait enfin à l'horizon. Néanmoins, Theo sentit quelques gouttes de sueur perler à son front quand il jeta un coup d'œil à la jauge de carburant de l'hélicoptère.

Il se raisonna : son esprit scientifique lui avait permis de soigner ses calculs, aucune raison de céder à l'inquiétude. D'un naturel prévoyant, il veillait toujours à ce que le réservoir soit chargé en abondance. Or il avait dû rester posé à peine plus de deux minutes sur le yacht avant de prendre le chemin du retour. Parcourir une distance de A à B équivalait à un trajet de B à A... Même en tenant compte du vent, pas de pénurie à craindre.

Néanmoins, dans ce cas précis, « B » signifiait « bateau », un point mouvant. Et sa décision de viser Marseille plutôt que Barcelone avait été prise en catastrophe, dès qu'il avait décollé du *Makricosta Enchantment*. C'était le genre d'impulsion qui ne lui ressemblait pas du tout. Un élan instinctif sans doute lié à la panique des premières secondes. Sans hésiter, il avait suivi la direction qui semblait promettre la sécurité. Même si son plan était absurde, plus rien ne l'en ferait dévier. Il irait jusqu'au bout...

L'angoisse qui pulsait dans ses veines relevait du phénomène inédit. Il n'avait pas peur pour sa vie. A supposer qu'il soit en train d'accomplir son dernier voyage, il ne manquerait à personne. Mais son précieux chargement, si. La nécessité absolue de sauver ses passagers lui nouait l'estomac. Hélas, les circonstances n'aidaient pas : ni le grondement du moteur ni les écouteurs branchés sur le système radio ne l'empêchaient d'entendre les cris déchirants des deux bébés installés derrière lui.

Bon sang, il était déjà peu doué en tant que frère, et voilà qu'il était en passe d'entrer dans l'histoire comme l'oncle le plus irresponsable du monde ! Heureusement qu'il n'était pas père…

Essuyant sa main moite sur sa cuisse, il tira son téléphone mobile de sa poche. Composer des textos en pilotant un hélicoptère était une opération aussi recommandée qu'au volant d'une voiture, mais il n'oubliait pas que, dès l'atterrissage, il ferait face à une rafale de nouveaux problèmes. L'irrépressible urgence de piquer au nord et non à l'ouest ne sortait pas de nulle part : la personne idéale pour lui venir en aide se trouvait à Marseille.

Si elle acceptait de l'aider…

Il retrouva le message, déjà ancien, qu'il n'avait jamais effacé :

Voici mon nouveau numéro, au cas où cela expliquerait pourquoi tu ne m'as jamais rappelée. Jaya.

Ignorant la honte que réveillaient ces mots dans sa conscience, il espéra que le cœur de la jeune femme était aussi généreux, aussi tendre qu'autrefois.

1.

Dix-huit mois plus tôt

Jaya avait entendu l'hélicoptère se poser au milieu de la matinée. Hélas, à 17 heures, alors qu'elle venait de terminer son service pour la dernière fois, Theo Makricosta ne l'avait toujours pas appelée. Et douze heures plus tard, elle aurait quitté Bali…

Comme une douleur pénible lui étreignait le cœur, elle ne put s'empêcher de penser que son employeur n'était pas du genre à s'en tenir aux horaires de bureau. Il voyageait tant qu'il lui arrivait souvent de ne pas trouver le sommeil et de se mettre au travail dès l'aurore. S'il avait besoin d'un quelconque document ou d'un rapport, il appelait, quelle que soit l'heure, et les demandait avec une politesse exemplaire. Avant de raccrocher, il la priait d'enregistrer cette mission comme du travail supplémentaire, payé en conséquence, et la remerciait chaleureusement. La bonté de cet homme n'avait d'égale que son sérieux. Travailler pour lui avait été un bonheur. Oui, Theo Makricosta allait lui manquer. Tellement lui manquer que c'en était déraisonnable…

Elle aperçut son reflet dans le miroir, au milieu de la chambre. Ses valises étaient faites, elle était prête au départ, alors pourquoi portait-elle encore l'uniforme du complexe hôtelier Makricosta ? Les cheveux bien brossés et remontés en chignon impeccable, elle s'était lavé les dents avant de rafraîchir son maquillage, comme si elle n'attendait plus que l'appel de son patron. Pathétique, songea-t-elle en secouant tristement la tête.

Après ce qui l'avait contrainte à prendre la fuite de son pays, l'Inde, jamais elle n'aurait dû se trouver dans cette situation : céder à un fantasme amoureux pour son employeur.

Savait-il qu'elle partait ? Probablement. Son départ lui était-il donc indifférent ? En quatre ans, jamais il ne lui avait posé une question personnelle. Il n'avait peut-être même pas remarqué qu'elle était une femme… En fait, si elle ne l'avait pas vu une ou deux fois inviter une cliente célibataire à dîner, la raccompagner ensuite à sa chambre et effacer le lendemain sa note des registres, elle aurait même pensé qu'il ignorait jusqu'à l'existence d'un deuxième sexe. En fait, il s'offrait simplement une aventure quand il en éprouvait l'envie…

Jaya en concevait un étrange malaise. Un mélange de colère et de jalousie. C'était d'autant plus absurde qu'elle n'aurait pas souhaité être à la place de ces jeunes femmes : elle n'en était tout de même pas à éprouver le désir de passer *une nuit* avec Theo Makricosta ! A peine eut-elle formé cette idée qu'une douce et insidieuse chaleur se répandit dans son bas-ventre — des fourmillements délicieux et embarrassants qui la contraignirent à fermer les yeux.

Le découragement la gagna. Même si elle ne pouvait expliquer pourquoi, elle avait *absolument* besoin de dire au revoir à son boss. Tant pis s'il était stupide et infondé d'éprouver un tel attachement pour un homme avec lequel elle n'avait eu qu'une relation professionnelle. Les promotions successives qu'elle lui devait lui avaient ouvert des opportunités de carrière, qui représentaient sa plus belle chance dans la vie. Grâce à ses encouragements, elle avait évolué de façon extraordinaire dans son travail.

Et surtout, l'impressionnant Grec lui avait offert un respect sans faille : pour la première fois de son existence, Jaya avait connu un cadre professionnel à la fois sécurisant et motivant. La femme qu'elle était devenue, sereine, pleinement concentrée sur ses compétences, heureuse de se lever chaque matin, c'était l'œuvre de cet homme.

Devait-elle lui avouer qu'il avait accompli un miracle en métamorphosant le petit animal apeuré qu'elle était en femme épanouie ? Non, impossible. Tant pis… Elle partirait pour la France sans l'avoir revu, se dit-elle en regardant encore une fois son reflet dans le miroir. Mais, au lieu de défaire son foulard rouge et blanc, elle caressa longuement son passe électronique. Puis, elle quitta sa chambre comme un automate.

Ridicule, pensa-t-elle en s'engouffrant dans la cage d'ascenseur. Et s'il n'était pas seul ?…

Quelques minutes plus tard, elle essuyait ses paumes moites sur sa jupe avant de s'arrêter sur le seuil de la suite du quarantième étage. C'était l'appartement réservé à la famille Makricosta ; mais Demitri, le cadet, ne faisait que de rares apparitions sur l'île et Adara, leur sœur aînée, cerveau de l'entreprise, évitait de venir en juillet, le mois le plus froid de l'année à Bali.

Quant à Theo — « Non, M. Makricosta », se répéta-t-elle —, il se dévouait corps et âme à la gestion de la chaîne hôtelière, inspectant quotidiennement les livres de comptes de chaque établissement. C'était un homme fiable et organisé, qualités que Jaya plaçait très haut.

Comme ses lèvres étaient sèches, elle les humecta avant de frapper timidement à la porte.

Un murmure lui répondit. « Entrez », probablement,

alors elle introduisit son passe dans la serrure et poussa la porte.

— J'ai dit *pas maintenant* !

Elle resta interdite devant le salon. La protestation de son patron n'exprimait pas la fureur. Plutôt l'abattement.

Il était de trois quarts dos. Installé sur un sofa, il avait remonté les manches de sa chemise sur ses bras. Ses vêtements étaient froissés. Il tenait un verre d'alcool en main. Des dizaines de papiers et de dossiers s'étalaient sur la table basse et jusque sur le sol, aux quatre coins de la pièce. Ce désordre ne lui ressemblait guère. Pas plus que sa tenue négligée et son expression hagarde… Même l'atmosphère de la pièce exhalait quelque chose d'anormal.

— Que s'est-il passé ? demanda-t-elle, inquiète.

— Jaya ?

Visiblement stupéfait, il se retourna et se leva d'un bond.

— Je vous ai téléphoné ? interrogea-t-il, déconcerté.

Il ramassa son mobile et Jaya devina qu'il vérifiait le journal d'appels.

— J'essayais de ne pas le faire, ajouta-t-il en fronçant les sourcils.

Elle n'y comprenait goutte : qu'est-ce que cela signifiait, tenter de *ne pas* appeler quelqu'un ?

— Vous êtes à la recherche d'un document ? Je peux vous aider à le retrouver, affirma-t-elle en allant ramasser l'ordinateur portable sur le sol pour le reposer sur la table. Et si la façon dont une tâche a été accomplie vous contrarie, je…

— Contrarié, la coupa-t-il. Oui, voilà, c'est que ce que je suis : contrarié.

Il se passa une main dans les cheveux et planta le regard dans le sien avant d'ajouter :

— Vous me découvrez dans l'un de mes mauvais moments.

D'ordinaire, Jaya restait insensible aux charmes masculins. Les hommes grands, musclés, séduisants et sûrs d'eux lui étaient indifférents. Theo appartenait à cette caste. Il avait la peau un peu plus claire que les hommes de Bali, mais son pays natal, la Grèce, lui avait légué une épaisse chevelure noire et brillante, un teint mat et un air d'éternelle jeunesse, malgré sa trentaine approchante. Durant un bref instant, elle eut le sentiment de se trouver face à l'un des enfants les plus pauvres de son pays ; un de ceux qui ont déjà perdu tout espoir.

Sans la moindre hésitation, elle s'avança doucement vers lui et lui glissa les doigts dans les cheveux pour les recoiffer. Elle savait qu'il n'aimait pas qu'on le voie autrement que dans une tenue impeccable.

Pourtant, en cet instant, il était encore plus impressionnant que cravaté, dans l'une de ses habituelles chemises parfaitement amidonnées, rasage irréprochable et cheveux plaqués sur les tempes. Légèrement crispée, sa mâchoire exprimait toute sa virilité. Ses yeux d'un brun profond brillaient d'un éclat plus mat, plus intense. Jaya était aspirée dans ce regard, et elle voulait s'y perdre. Soumise à un pouvoir hypnotique, elle était clouée au sol, incapable d'esquisser un mouvement.

— Nous nous occuperons des dossiers demain, dit-il. Ce n'est pas le moment.

Le ton rauque de sa voix déclencha de nouveau en elle des phénomènes inouïs. Elle ne comprenait pas ce qu'il lui arrivait, et encore moins pour quelle raison elle restait ainsi pétrifiée sur place.

Fascinée, elle ne parvenait pas à détacher son regard de celui de son hôte, alors même que son trouble augmentait à chaque seconde, que la chaleur qui montait en elle lui rougissait les joues.

Dans le silence de la pièce, elle crut entendre résonner le martèlement saccadé de son cœur. Quelque chose allait se produire. C'était certain.

Et elle était prête…

— Je ne peux pas enfreindre notre éthique de travail, souffla-t-il soudain sans détourner les yeux. Cela reviendrait à mettre en péril notre relation d'employeur à employée.

A ces mots, Jaya fut si confuse qu'elle baissa vivement les yeux au sol. Comment avait-il pu deviner ? Ses sentiments se lisaient-ils sur son visage ? Seigneur… Elle ne savait pas elle-même d'où lui venaient ces étranges émotions. Les hommes lui inspiraient la prudence et la crainte depuis plusieurs années, alors qu'en cet instant elle ne désirait rien d'autre que de sentir la pression des lèvres de Theo sur les siennes. Le goût de sa bouche, la puissance de son corps…

Un brasier s'était allumé en elle. Incapable de l'éteindre, elle savait pourtant ce que lui dictait la raison : il fallait s'excuser, sortir, partir pour Marseille et oublier à jamais cette ultime entrevue avec Theo Makricosta. D'ailleurs, n'était-elle pas venue ici dans la seule intention de lui dire adieu ?

Pourtant, ce furent des paroles insensées qui lui échappèrent, dans un élan irrépressible :

— Il se trouve que cette relation professionnelle n'existe plus. J'ai terminé ma dernière journée de service. Je ne suis plus votre employée.

Une expression de stupeur se dessina sur le visage de son interlocuteur.

— Quoi ? Pourquoi n'en ai-je pas été informé ? Si la concurrence a réussi à vous convaincre, je m'alignerai sur ce qu'on vous a offert, quelles que soient les conditions !

— Non, ce n'est pas cela, dit-elle très bas, le cœur lourd. Vous… Enfin, je veux dire, *votre groupe* a été merveilleux avec moi. C'est ici que j'ai tout appris et que j'ai pu valider mes diplômes. Jamais je ne vous aurais offensé en partant occuper un poste chez un concurrent.

— Nous n'avons rien fait d'extraordinaire, opposa-t-il en haussant les épaules. Investir dans la carrière de nos employés, c'est notre intérêt.

— Peut-être, mais je n'aurais pas cru possible d'évoluer si vite. Passer de femme de chambre à responsable de l'accueil, puis chef de service…

Elle se rappela le jour où, terrifiée d'abandonner une chambre à terminer de nettoyer, elle avait toutefois accompagné à l'accueil un petit garçon perdu, afin de lui servir d'interprète et de lancer un appel à ses parents. Le grand patron, qui était précisément en train de conduire un audit, avait été impressionné par son calme et sa maîtrise de quatre langues. Aussitôt, il l'avait fait monter en grade.

Jaya respirait mieux. Sa gêne avait disparu à présent, il ne restait que sa gratitude. Il était grand temps de l'exprimer.

— Je n'avais pas très confiance en moi quand je suis arrivée ici, confessa-t-elle. Je n'aurais d'ailleurs jamais pu travailler pour vous si vous ne m'aviez pas si gentiment aidée à répondre à vos questions lors de l'entretien d'embauche. Je vous suis très reconnaissante de votre patience.

Voilà. Elle venait enfin de lui dire ce qu'elle voulait lui avouer en venant frapper à sa porte. Sa mission était accomplie, songea-t-elle, non sans un pincement au cœur.

— Ma sœur me jetterait hors du comité directeur si je me comportais autrement, répliqua-t-il en souriant. Ne pas tendre la perche à une jeune fille sérieuse, douée, mais timide, ce serait presque du sexisme, selon elle !

Cette réponse fit à Jaya l'effet d'une douche froide.

Ainsi, les manières prévenantes de Theo n'auraient jamais été que l'exécution des ordres d'Adara Makricosta… Quelle déception !

— Où allez-vous ? s'enquit-il brusquement.

Il alla se rasseoir et lui fit signe de s'installer dans un fauteuil face à lui.

— En France. A Marseille. Pour des raisons familiales. Une situation qui réclame ma présence de manière urgente. Je suis désolée.

— Vous n'allez pas vous marier, tout de même ? rétorqua-t-il, incrédule. Ne me dites pas qu'il s'agit de l'une de ces unions arrangées ?

Elle ne put réprimer un sourire. Les Occidentaux se montraient parfois arrogants dans leur manière de juger à la hâte d'autres coutumes que les leurs. Pas forcément si différentes, au demeurant : Theo Makricosta pouvait-il prétendre que *toutes* ses relations intimes avec des femmes avaient été dictées par un amour pur et non, au moins en partie, par des motivations pratiques ? Mais elle venait d'Inde, un pays inconnu et exotique pour beaucoup d'Européens.

— Non, pas de mariage arrangé, dit-elle avec une petite moue.

Elle attendait un moment comme celui-ci depuis quatre ans. Quatre ans qu'elle levait les yeux vers le beau Grec dès qu'il passait à proximité. Quatre ans qu'il détournait la tête, obnubilé par son travail. Quatre ans qu'elle maudissait son imagination…

Et aujourd'hui, enfin, il lui manifestait de l'intérêt !

Il opina du chef, l'air abattu.

— Eh bien, c'est une grande perte pour ce complexe, conclut-il. Je vais vous remettre une lettre de recommandation, évidemment, mais ne pensez-vous pas qu'un congé provisoire serait plus approprié à la situation ? Je ne demande pas mieux que de vous faire remplacer et de vous garder votre poste jusqu'à votre retour.

Jaya contint son émotion avec difficulté. Cette proposition la bouleversait. Elle aurait préféré que la conversation se maintienne sur un terrain plus personnel et en même temps, elle était émue par cette générosité, cette confiance.

— Euh, je… Non, merci, murmura-t-elle.

Inutile de se bercer de faux espoirs : le cancer de Saranya était irréversible. Mieux valait qu'elle se fasse à la triste réalité.

— Je pars vivre chez ma cousine et son mari, expliqua-t-elle. Elle est très malade. Elle va mourir. Je suis très proche de leur fille, qui a besoin de moi.

— Je suis vraiment navré… C'est terrible.

Il avait froncé les sourcils.

— Sans vouloir paraître vulgaire, reprit-il, est-ce que de l'argent pourrait être utile ?

— Merci, mais non, hélas. Le mari de ma cousine est un homme aisé. Ils ont été très bons avec moi quand j'ai quitté l'Inde. Ils m'ont recueillie et soutenue financièrement jusqu'à ce que je trouve un emploi. Je ne pourrais pas me regarder dans un miroir si je leur faisais défaut dans un moment pareil.

— Oui, je comprends.

Vraiment ? Elle le contempla avec curiosité. Pour se qu'elle en savait, la famille Makricosta était bizarre. Theo ne semblait proche ni de son frère, ni de sa sœur — elle l'avait entendu évoquer Adara pour la première fois un moment plus tôt. Chaque fois que la fratrie était rassemblée ici, elle ne percevait aucune chaleur, aucune complicité.

Mais après tout, qui était-elle pour juger les relations de famille des autres ? La sienne l'avait désavouée et bannie.

Theo avala une gorgée d'alcool, l'air plus abattu que jamais.

— Voulez-vous me parler de ce qui vous attriste ? demanda-t-elle doucement.

— Je crois que j'aimerais mieux m'abrutir jusqu'à l'inconscience. Mais dans la mesure où je n'absorbe que de l'eau minérale, mes chances de succès me semblent nulles.

Jaya sourit en regardant le contenu du verre, qu'elle avait pris pour du gin ou de la vodka. Sa confession la surprenait : cet homme était incroyablement réservé. Fermé. Jamais il ne lui en avait tant dit sur lui-même.

— Je regrette déjà de ne plus travailler avec vous, Jaya, enchaîna-t-il. Les hôteliers de Marseille ne connaissent pas leur chance. N'hésitez pas à me contacter si vous souhaitez un jour retrouver une position dans un établissement Makricosta. Nous en possédons trois en France, mais pas à Marseille.

— Oui, je le sais. Merci. Je n'y manquerai pas.

Son émotion menaçait de la submerger. Elle risquait de se ridiculiser totalement si elle fondait en larmes. Aussi se leva-t-elle, prête à prendre congé.

A son tour, Theo quitta son siège et lui offrit une poignée de main. Une nouvelle vague de chaleur l'envahit au contact de ses doigts sur sa peau. Elle arrima son regard au sien. Sa chair se contractait. Des ondes électriques la parcouraient.

Le temps semblait suspendu. Retenant son souffle, elle le fixait désespérément…

Enfin, il se pencha. Il inclina le visage vers le sien, lentement, comme au ralenti.

Oui, il allait l'embrasser !

Son cœur battait sur un rythme lourd quand soudain, il s'immobilisa.

— Jaya, murmura-t-il. Excusez-moi, je ne devrais pas…

— Non, coupa-t-elle, affolée à l'idée qu'il lâche sa main. Theo, je suis venue ici en me jurant de ne pas vous appeler par votre prénom. Mais je… J'aimerais que vous m'embrassiez.

2.

Sa propre audace stupéfiait Jaya. Mais aucun homme ne lui avait jamais inspiré de désir. Encore moins *ce* désir. Surpuissant, indomptable. Irrésistible.

— Vous savez très bien que vous êtes d'une beauté exceptionnelle, souffla Theo. Evidemment, je vous ai remarquée. J'ai également remarqué que vous ne faisiez jamais la fête avec les collègues de votre âge. Vous n'êtes pas du genre à céder aux plaisirs d'une nuit.

Elle le toisa avec flegme.

— J'ai juste dit que je voulais un baiser, pas coucher avec vous.

Cette mise au point le fit sourire.

— En effet, admit-il. Vous constatez là quel homme peu recommandable je suis : il ne m'est pas venu à l'esprit que cette invitation n'englobait pas une nuit entière.

Il leva les yeux au ciel, comme lassé de lui-même, et retourna s'asseoir, le poids du monde sur les épaules. Touchée par son désarroi, elle revint s'installer près de lui.

— Les « collègues de mon âge », avez-vous dit. Vous connaissez mon âge ?

Il secoua la tête pour toute réponse.

« Va-t'en », lui souffla une petite voix. Plus elle restait, plus elle avait envie de se laisser aller à de folles impulsions, de tout partager avec cet homme. C'était de la démence…

— J'ai vingt-cinq ans, dit-elle. Et vous ? Trente ?

— Vingt-cinq, vraiment ? s'étonna-t-il. Vous semblez plus jeune.

Jaya faillit s'emporter. Au fond d'elle, la jeune fille qui avait bataillé sans relâche afin de devenir quelqu'un ne pouvait supporter d'être prise pour une gamine. Elle *voulait* que Theo sache qui elle était : une adulte armée de valeurs solides.

— Makricosta m'a donné toutes les chances de bâtir une nouvelle carrière, et c'est extrêmement important pour moi, affirma-t-elle. Si je vous dis que j'envoie chaque mois de l'argent à mes parents, cela ne vous étonnera probablement pas. Faire la fête, ne pas être en forme le lendemain, devoir changer son service pour prendre du repos : non, je ne me permets pas ce genre de choses.

— En effet, je n'en suis pas étonné. Vous avez sans doute un cœur pur car il émane de vous une grande loyauté. Une bonté sans limite, aussi. Peut-être même quelque chose de virginal…

Ce n'était pas une question, mais ce dernier mot lui fit brûler les joues.

— Non, je ne suis pas vierge, rétorqua-t-elle promptement.

Devant la vivacité de sa réaction, Theo fronça les sourcils. Un pli d'inquiétude se dessina sur son front

— Et on vous a jugée pour cela, n'est-ce pas ?… reprit-il avec douceur. Mon Dieu, les hommes sont d'une cruauté sordide en exigeant des femmes tout et son contraire ! Je déteste mon genre. C'est nous qu'il faudrait juger. Et je ne vaux pas mieux que mes congénères mâles : moi aussi, je couche avec des femmes et ne leur adresse plus jamais la parole dès le lendemain.

Jaya lutta contre la petite appréhension qui lui nouait l'estomac. Ce qu'il venait de dire au sujet de l'attitude des hommes vis-à-vis des femmes était exact. Douloureusement exact. Elle en avait payé le prix fort.

— Je me méfie un peu des hommes, lui confia-t-elle.

Sauf de lui. C'était d'autant plus étrange qu'il venait de lui avouer se comporter aussi mal que les autres.

— Ah, un salaud vous a brisé le cœur. Sachez que j'ai un talent tout particulier pour jouer le rôle du bon samaritain de transition.

La formule la fit sourire.

— C'est pourquoi vous ramassez parfois de jeunes et jolies touristes ? Vous leur offrez les premiers soins ?

— Oui, je fais le secouriste : « Il vous a trompée ? Quel imbécile ! »

— Vraiment ? insista-t-elle. Vous êtes si superficiel que cela ?

C'était difficile à croire. Lors des formalités de départ, les jeunes femmes en question semblaient euphoriques, détendues ; jamais amères.

— Je ne sais pas si c'est de la superficialité, mais je ne leur mens pas. Avec moi, elles savent dans quoi elles s'engagent.

— Une nuit.

— Une nuit, acquiesça-t-il en la sondant d'un regard troublant. Et vous, vous vous contenteriez d'un baiser. Si l'offre tient toujours, je suis preneur.

Une sensation indéfinissable s'empara de Jaya, tandis qu'un léger vertige la gagnait.

— Je… Je ne peux pas m'empêcher de penser que, si je pars sans vous avoir embrassé, je me demanderai toujours quel effet cela m'aurait fait, bredouilla-t-elle.

Arrimant le regard au sien, il approcha dangereusement d'elle, comme dans un rêve. Le souffle court, le cœur battant à se rompre, Jaya le voyait maintenant à quelques centimètres. Elle percevait la chaleur de son impressionnante stature. Une lave volcanique coulait, furieuse, dans ses veines. Un brouillard lui voilait l'esprit.

Il leva une main et se mit à lui effleurer délicatement les contours du visage, faisant naître en elle une myriade de frissons. Elle avait connu des premiers baisers, bien sûr, mais rien ne l'avait préparée aux sensations qui fusèrent à l'instant où il s'empara de ses lèvres.

Oui, elle savait déjà que, jusqu'à la fin de sa vie, elle se souviendrait de ce baiser.

La bouche de Theo était ferme, douce, tiède. Envoûtante et exigeante. Chavirée, Jaya le laissa approfondir son étreinte et enroula passionnément sa langue à la sienne, tandis qu'il l'attirait tout contre lui, plaquant son torse contre ses seins. Il l'embrassait avec une langueur infiniment érotique, imprimant un rythme ensorcelant à ses caresses. Un soupir de plaisir lui échappa, et elle plongea les doigts dans son épaisse chevelure, l'invitant à continuer.

C'était divin !

Alors qu'il se pressait contre elle, lui encerclant la taille de ses mains puissantes, elle mesurait la fermeté de sa musculature, l'ardeur de son désir. A sa propre surprise, Jaya, en percevant la force de l'érection qui palpitait contre son ventre, n'en avait que plus envie de prolonger leur baiser, de découvrir où il les mènerait…

Aussi fut-elle profondément déçue quand Theo se détacha de sa bouche.

— Mon Dieu, Jaya… Je me doutais que ce serait bon, mais pas à ce point ! Vous êtes certaine de ne pas vouloir passer la nuit avec moi ?

En proie à la plus vive confusion, elle ne sut que répondre. Inutile de se mentir, elle avait envie de lui.

— Je… Vous avez raison, balbutia-t-elle. Je ne suis

pas du genre à avoir des aventures, mais… j'ai beaucoup aimé ce baiser.

— C'est une manière de me repousser gentiment ? Je comprends très bien et je…

— Non ! C'est juste que… je ne suis pas très sûre de ce que je veux.

Il hocha la tête.

— Votre vie part sur de nouveaux rails, observa-t-il. L'idée d'une aventure d'un soir vous déplaît, mais vous savez aussi que le sexe vous libérerait au moins temporairement de vos soucis. Croyez-moi, je connais ce dilemme.

Ces paroles l'effarèrent.

— C'est la raison pour laquelle vous me priez de rester : vous libérer de vos soucis ? C'est donc si grave ? Je commence à m'inquiéter pour mes amis ici… Y a-t-il un problème avec la chaîne Makricosta ?

— Non. Mon déraillement est personnel. Un problème familial, mais pas une maladie, comme ce qui concerne la vôtre. J'ai été très en colère contre quelqu'un durant un certain temps, et j'ai découvert aujourd'hui que je n'avais aucune raison valable de l'être. Ne sachant plus qui détester ou à qui faire porter le blâme, je me sens démuni.

— Je peux peut-être…

— Vous ne pouvez rien pour moi, l'interrompit-il. N'essayez pas de me sauver, Jaya. J'ignore même si je suis ce dont vous avez besoin ce soir.

— Ce dont j'ai besoin, rétorqua-t-elle, à cran, c'est d'un autre baiser, Theo.

Cette réplique le laissa bouche bée. Par contre, il lui prit délicatement la main, l'invita à le suivre sur le canapé et lui fit signe de s'installer près de lui. Puis il l'embrassa avec la même douceur, la même fièvre languide qu'un peu plus tôt.

— Nous irons lentement, promit-il dans un souffle. *Très* lentement. Baiser par baiser. Et nous pourrons nous interrompre dès que vous le voudrez.

— Je ne veux pas m'interrompre.

— Nous verrons, murmura-t-il en enveloppant de nouveau ses lèvres des siennes.

Ce nouveau baiser libéra en Jaya une autre source de plaisirs inconnus. Ce qu'elle éprouvait était merveilleux. Elle avait l'impression de découvrir son corps, d'expérimenter les sensations les plus fantastiques pour la toute première fois. L'étreinte de Theo était à la fois sensuelle et rassurante. Elle vivait une folle aventure dans un univers absolument protégé…

— Tu veux bien défaire tes cheveux pour moi ? murmura-t-il, les yeux rivés aux siens.

Après avoir ôté les épingles de son chignon, elle se sentit dénudée — habituellement, sa tenue impeccable lui servait d'armure. A peine ses cheveux tombèrent-ils sur ses épaules que Theo se mit à y glisser les doigts avec révérence.

— Ils sont si soyeux ! souffla-t-il en les caressant encore et encore, avec une lenteur désarmante.

Il semblait avoir décidé de ralentir le temps. Ses mouvements étaient précis, doux, extraordinairement excitants. Jaya était subjuguée par ces instants magiques.

Dans un nouveau baiser, il la débarrassa de son foulard, puis laissa errer la main sur son cou, sa nuque. Son audace entraînait celle de Jaya, qui lui lança un regard de défi.

— Tu vas m'attacher avec ? demanda-t-elle avec un petit geste de la tête en direction du foulard tombé à terre.

— Ça te plairait ?

De nouvelles ondes de désir la parcoururent sous l'effet des caresses de Theo. Cette main… Elle avait envie qu'il la promène plus bas, sur sa poitrine et sur ses hanches — sur son corps tout entier.

Pour l'y encourager, elle arpenta de ses doigts enfiévrés, presque inconsciemment, la largeur de son torse. Elle avait envie de connaître sa peau, de découvrir la puissance de ses muscles. Sa maladresse l'entravait : elle ne parvenait pas à déboutonner sa chemise. Il se chargea lui-même d'y remédier. Sans un mot, il lui permit alors de savourer le contact de ses pectoraux parfaitement dessinés et de la fine toison brune qui parait son ventre.

Elle frissonna, ses sens étaient enflammés. Son sang bouillonnait tandis qu'elle découvrait la chaleur du corps de Theo, sa puissance, son odeur.

Aiguillonnée par le désir, Jaya se mit à le caresser de manière plus audacieuse et s'empara de sa bouche. Theo répondit par un gémissement animal et lui rendit son baiser avec ardeur. Il effleura alors ses seins, traçant des cercles autour de ses tétons à travers l'étoffe de sa robe. En proie au vertige, elle s'abandonna à un exquis vertige. Dardés, durcis, ses seins accueillaient cette caresse dans l'abandon — elle en voulait encore, davantage, toujours plus. Aussi impatiente que lui, elle le laissa la défaire de la robe blanc et rouge aux couleurs de Makricosta.

Son soutien-gorge ivoire n'avait rien de la lingerie affriolante à laquelle il devait être habitué : jugeant sa poitrine menue, Jaya avait toujours opté pour des brassières, pratiques, certes, mais peu sexy. Alors qu'elle allait s'en excuser, Theo passa un bras dans son dos et dégrafa le soutien-gorge d'un geste expert, avant de rester figé devant ses seins, l'air extatique. Il posa enfin les mains sur sa poitrine offerte, faisant aussitôt jaillir en elle une vague de plaisir.

— Ta peau me rappelle que j'ai toujours souffert d'une atroce dépendance au chocolat, susurra-t-il.

La sensation était si puissante que Jaya se cambra et

bascula la tête en arrière pour savourer la myriade de frissons qui naissaient sur son épiderme. Quand Theo l'attira brutalement contre lui pour l'embrasser, sans cesser de lui prodiguer les plus brûlantes caresses, elle sut qu'elle était perdue. Elle venait de basculer dans un brasier et voulait s'y perdre jusqu'à la fin des temps. Les délicieuses tortures qu'il lui faisait subir l'ensorcelaient — il agaçait la pointe de ses seins du bout des doigts — lui tirant des gémissements de plaisir.

— Jaya… Je veux te goûter.

Il la fit basculer sur le canapé et l'allongea, puis se pencha sur elle pour poser les lèvres sur ses tétons. Une nouvelle salve d'ondes électriques la traversa au contact de cette bouche chaude et affamée sur ses seins gonflés de désir. Fermant les yeux, elle glissa fiévreusement les doigts dans la chevelure de Theo, l'invitant à poursuivre.

— Tu es si belle…

Le souffle court, elle ignorait les battements frénétiques de son cœur, happée par le courant violent de son extase. Elle se consumait pour cet homme ; elle adorait sentir sa langue sur ses tétons et, malgré elle, ses cuisses s'ouvraient, cherchant à le contraindre à plaquer plus intensément les reins contre son bas-ventre. La lave qui coulait dans ses veines la rendait liquide.

— Theo…

Elle avait *besoin* du poids de son corps sur le sien, *besoin* de le sentir plus près, plus près encore — en elle.

— Oh ! Theo ! Je ne peux plus attendre…

— Je sais, dit-il d'un ton rauque. Mais nous ne pouvons pas aller plus loin. Je viens de me rappeler que je n'ai pas de préservatifs, ici.

*
* *

Jaya se redressa à demi. Elle cilla, déboussolée. Poussant un profond soupir, Theo soutint son regard stupéfait.

— Tu ne peux pas imaginer à quel point j'en suis désolé, fit-il en secouant la tête.

Oh si, elle pouvait ! Une crampe atroce lui tiraillait le ventre, comme si son corps entrait en rébellion, exigeant d'être rassasié.

— Peut-être que tu peux l'imaginer, après tout, reprit-il, malicieux, en embrassant tendrement son visage. C'est si bon de ressentir les réactions de ton corps. Tu es splendide. Je n'arrive pas à me détacher de toi. Me permettras-tu au moins de te donner du plaisir ?

Jaya ouvrit la bouche pour répondre mais se trouva incapable d'articuler un son. Son esprit s'était enfoncé dans un brouillard épais. Son cœur battait à tout rompre. Un bourdonnement à ses tempes l'empêchait de dominer ses sens. Toujours aussi intense, exigeant, tyrannique même, son désir l'accaparait tout entière.

Elle sentit alors la main de Theo s'insinuer sur la peau en feu de ses jambes, puis remonter lentement vers son sexe. Doucement, il caressa le coton humide de sa culotte ; elle ouvrit instinctivement les jambes. Grisée, elle ferma les yeux, s'abandonnant à la puissance des vagues qui montaient en elle.

— Comme ça ? demanda-t-il en se mettant à tracer de subtils va-et-vient sur le tissu.

Les décharges de plaisir étaient si intenses qu'elle en restait silencieuse : impossible de parler.

— Plus doucement ? Dis-moi ce que tu aimes.

— Je… Je ne suis pas venue pour ça, mais… c'est tellement délicieux !

A l'instant où les doigts de Theo s'infiltrèrent sous le coton pour venir se poser sur sa chair intime, elle oublia tout ce qui l'entourait. Ce qu'elle était en train de vivre dépassait ses rêves les plus fous. Chaque atome de son corps semblait animé par une énergie inédite. Pur, incandescent, le plaisir l'envahissait. Et, impitoyable, Theo lui prodiguait un bien étrange supplice. Elle se cambrait pour l'inviter à continuer. Gémissante, en sueur, elle perçut enfin une explosion se produire en elle. Un courant de lave absorba ce crépitement intense et son plaisir devint extase.

Pourtant, Jaya éprouvait le besoin irrépressible de l'empêcher de s'arrêter là. Elle le voulait. Lui. En elle.

Non, cela ne pouvait pas finir maintenant…

— J'ai une pilule du lendemain dans ma chambre, déclara-t-elle soudain, en relevant les yeux vers lui. Qui empêche la grossesse après un rapport non protégé.

C'était plus qu'une prière : une supplique. Le souffle court, elle resta immobile, suspendue à la décision de Theo.

— Je porte toujours un préservatif.

Ses espoirs tombèrent et elle se sentit stupide.

— Ah… Je comprends. Après tout, ce n'était pas prévu, et…

— Non, coupa-t-il. Je voulais te dire que je suis sain. Parce que je me protège toujours.

— J'ai…

Elle s'interrompit, les joues en feu. Comment lui expliquer qu'elle était certaine, elle aussi, de ne jamais avoir rien contracté ?

— Je ne présente aucun risque non plus, assura-t-elle.

Il arrima le regard au sien. Son visage était grave, comme s'il trahissait une loi fondamentale qui régissait son existence.

— Promets-moi que tu prendras cette pilule.

— Ma famille placerait un contrat sur ma tête si je devenais mère en dehors du mariage.

— Je ne veux pas devenir père, insista-t-il. Jamais.

Si tu penses que cette nuit pourrait mener à autre chose que…

— Non ! s'exclama-t-elle. Un bébé serait un désastre pour moi aussi. Mais je veux… Je veux te sentir en moi. Tu veux bien m'embrasser encore ? S'il te plaît !

— J'embrasserai chaque centimètre carré de ton corps, rétorqua-t-il en souriant.

Il la souleva et traversa le salon pour la mener dans sa chambre, où il la déposa sur le matelas, la sensation de ses bras puissants qui l'enserraient. Le fourmillement du désir l'avait si bien envahie qu'à l'instant où son amant s'allongea près d'elle, elle encercla son cou de ses mains tremblantes pour l'embrasser avec ferveur. La manière dont leurs deux corps communiquaient était plus que naturelle : nécessaire.

Durant un long moment, il la caressa encore, de ses doigts, de sa bouche, de ses muscles plaqués contre sa chair en fusion. Enivrée, elle le contraignit à ôter son pantalon et son caleçon ; elle découvrit enfin la puissance de ses cuisses, la puissance de son sexe dressé.

Le brasier se réveilla. Theo bascula soudain sur elle, pressant son érection sur son ventre. Puis il la pénétra, lentement.

Une fraction de seconde, la brûlure fut une douleur ; toutefois, une tornade de plaisir l'emporta dès que son amant entama un lent et exquis va-et-vient. Tous ses muscles se relâchaient, alors que la tension du désir se faisait sans cesse plus urgente.

Etourdie, Jaya s'abandonna.

— Tu es prête ? demanda-t-il soudain dans un souffle. Je suis tout près… Viens pour moi. Je veux te sentir jouir.

Agrippant les pans de sa chemise ouverte, elle hocha la tête et se laissa transpercer par des lances de plaisir. Leurs cœurs martelaient à l'unisson. L'union de leur sens était absolue.

— Ensemble, alors ? parvint-elle à articuler.

— Oui, dis-moi quand…

— Oh ! Theo…

— Oui !

Les coups de reins furieux du superbe Grec la propulsèrent dans une dimension sublime. Primale. Il fallait que cela dure encore — *toujours*.

— Ne t'arrête pas ! hoqueta-t-elle.

— Jamais, chuchota-t-il.

Il l'embrassa passionnément tandis qu'ils parvenaient ensemble à l'acmé du plaisir.

Le torrent furieux les ensevelit et, quand elle sombra avec Theo dans la perfection de l'extase, Jaya forma le vœu que ce soit pour l'éternité.

3.

Aujourd'hui

En se posant sur le tarmac, Theo repéra tout de suite la limousine qui l'attendait. Jaya avait eu la présence d'esprit d'attendre que les pales s'arrêtent pour faire avancer le véhicule. Il était impatient de la voir. Uniquement pour les bébés, bien sûr… Il voulait avant tout être certain d'obtenir l'aide requise pour prendre soin d'eux, et son impatience n'avait rien à voir avec le besoin douloureux de faire l'amour à la jeune femme. Du moins tâchait-il de s'en persuader…

La frustration lui tiraillait le corps depuis dix-huit mois. Depuis que la jeune Indienne s'était hâtée de se rhabiller, dans sa chambre, à Bali, pour ne pas rater son avion…

Bon sang, comment avait-il pu ainsi laisser tomber toutes ses défenses, cette nuit-là ? Alors qu'il demeurait farouchement sur ses gardes au cours de chacune de ses aventures sexuelles, se concentrant exclusivement sur le plaisir physique de sa partenaire, Jaya avait eu raison de ses réserves. Dès qu'elle était partie, il avait sombré dans une contemplation mortifère de ses souvenirs d'enfance — pas seulement à cause de la révélation familiale qu'il venait alors d'avoir. Non, son ancienne employée avait emporté quelque chose avec elle… Avant cette nuit spéciale, Theo était toujours heureux d'être à Bali ; depuis, il détestait cet endroit.

Impossible de se mentir : Jaya lui avait manqué.

Il n'avait aucune idée de la façon dont elle allait réagir. Fébrile, il se tourna vers les sièges derrière lui. Son neveu s'était endormi ; consciente qu'ils avaient touché le sol ferme, sa nièce, en alerte, ouvrait de grands yeux et semblait attentive à tous les nouveaux bruits environnants.

— Je reviens tout de suite, lui dit-il, ignorant si ces mots pouvaient recouvrir le moindre sens pour elle.

Puis il sortit de l'appareil. Une vague impression de familiarité le saisit : il était déjà venu faire le plein ici, lors de brèves escales. Il n'aimait pas beaucoup laisser son hélicoptère dans des lieux inconnus, mais aujourd'hui il n'avait pas le choix. Tout allait de travers. Depuis qu'il avait appris qu'une attaque se préparait contre le *Makricosta Enchantment,* le yacht familial en croisière sur la Méditerranée, tout s'était enchaîné si vite. Il s'était précipité sur son hélicoptère et avait mis le cap sur le yacht. En entendant l'appareil se poser sur le pont, son beau-frère avait accouru. Theo lui avait rapidement expliqué la situation. Gideon s'était alors précipité vers les chambres et en était ressorti avec les deux enfants dans les bras.

— Il faut que tu les emmènes le plus loin possible de ce bateau.

Theo aurait voulu protester, mais son beau-frère avait raison, mettre les deux enfants à l'abri était le plus urgent. Il avait donc dû se résoudre à décoller en laissant derrière lui son frère, sa sœur et leurs époux respectifs. Et voilà qu'il se retrouvait avec la charge de *deux bébés* — son neveu et sa nièce ! Comment s'y prendre ? Que faire si la situation se prolongeait ? Et si… si elle devenait définitive ?

Non, songea-t-il, révolté par cette pensée. L'issue serait favorable. D'ici vingt-quatre heures, de nouvelles informations lui permettraient d'évaluer plus précisément la marche à suivre.

La limousine remonta lentement jusqu'à sa hauteur avant de s'arrêter. Puis la portière arrière s'ouvrit, et Jaya apparut…

Le choc fut si violent que Theo eut l'impression d'avoir pris un direct dans l'estomac. Et pourtant, il était infiniment rassuré. Car jusqu'à cet instant, il n'avait pas pris la mesure de son angoisse : oui, plus que tout, il avait redouté que Jaya ne réponde pas à son appel.

Mais elle était là.

Ses cheveux étaient coupés plus court, au niveau des épaules, et ils étaient légèrement ondulés. Il préférait cela au chignon sévère. La jeune femme avait l'air plus jeune, plus décontractée.

Sexy…

Plus que jamais, elle dégageait une impression de professionnalisme et donnait confiance. Son tailleur bleu marine était sophistiqué, d'une grande élégance, et il reconnut à son cou les couleurs d'un foulard familier. « Tu vas m'attacher avec ? », avait-elle demandé. Il se rappela le premier geste intime, l'instant où elle s'était approchée de lui pour glisser les mains dans ses cheveux, la première fois qu'il avait senti sa peau sur la sienne…

Avec effort, il s'attarda encore sur ce foulard bleu et jaune. Il lui allait bien. Son visage était dissimulé sous d'immenses lunettes de soleil, et elle restait immobile devant la portière ouverte, l'invitant à la rejoindre.

Il hocha négativement la tête et lui fit signe d'approcher de l'hélicoptère. Après une hésitation, elle s'exécuta.

— Monsieur Makricosta…

— Theo, coupa-t-il.

L'espace d'une seconde, il espéra presque l'entendre prononcer son prénom comme elle l'avait fait dans leur corps à corps, de sa voix vibrante de plaisir… Mais la jeune femme fronça les sourcils.

— Pouvez-vous m'expliquer ce qu'il se passe ?

Désignant l'appareil comme s'il allait la prier d'y grimper, elle s'empressa d'ajouter :

— Je ne peux pas m'éloigner d'ici. J'ai des engagements non seulement dans mon travail, mais aussi…

Elle s'interrompit, le livrant à une curiosité dévorante : quels étaient les engagements *non professionnels* ? Mieux valait éviter de lui poser la question.

— Vous avez reçu mon message, dit-il sobrement. Vous savez donc que j'ai besoin d'une chambre. Dans un endroit où personne ne s'attend à me trouver. Quand je vous ai dit que c'était une urgence, je n'exagérais pas.

Il lui fit signe d'approcher de l'appareil et lui montra les deux bébés derrière la vitre. Bien que les luxueux sièges en cuir blanc aient été prévus pour transporter des enfants et munis de harnais, son neveu et sa nièce semblaient microscopiques perdus dans ces fauteuils de première classe.

Il ouvrit la portière et Jaya put voir l'intérieur de l'habitacle.

— Vous avez des enfants ? s'écria-t-elle, visiblement estomaquée.

En entendant cet éclat de voix, Androu se réveilla aussitôt et fondit en larmes. Evie se frotta les yeux et l'imita un instant après.

— Bien joué, lança-t-il, acide, à la jeune femme.

Interdite, celle-ci fixait Androu, hypnotisée, comme s'il venait de tomber d'une autre planète.

— Quel âge a-t-il ?

— Ce ne sont pas *mes* enfants, soupira-t-il en lui

tendant Androu tandis qu'il détachait Evie. Aidez-moi à les installer en voiture.

Après son moment de surprise, Jaya réagit avec la redoutable efficacité que Theo escomptait : elle porta son neveu avec une aisance de puéricultrice diplômée ; il lui emboîta le pas, Evie dans les bras.

Il savait ce qu'il faisait en la contactant. Le jour où elle s'était chargée de conduire à l'accueil de l'hôtel un enfant allemand égaré et terrifié, il avait découvert son savoir-faire auprès des petits. Sa douceur, son sourire, son maniement de plusieurs langues avaient eu rapidement raison de l'angoisse du garçonnet. Grâce à Jaya, cet épisode, qui aurait pu finir en traumatisme pour l'enfant comme pour ses parents, avait été un incident sans conséquence.

En ce moment, elle mettait en pratique ce talent bien particulier avec Androu, et cela semblait porter ses fruits : elle berçait le petit, lui murmurait des paroles apaisantes d'un ton confiant ; elle lui parlait du changement de décor, de toutes les merveilles qui les entouraient. La tête au creux de son épaule, Evie, en revanche, demeurait inconsolable et pleurait à chaudes larmes.

Theo pressa le pas. Tels des gangsters en fuite, ils s'engouffrèrent à toute vitesse dans l'habitacle de la limousine et le chauffeur démarra aussitôt.

— Vous auriez pu m'avertir, lança Jaya d'un ton de reproche. J'aurais fait équiper la voiture de sièges appropriés. Ce que nous faisons est dangereux, Theo.

Theo… Voilà. Elle venait de prononcer son prénom. Et une émotion violente le secouait, à présent.

— Alors, qui sont ces enfants ? reprit-elle.

— Peut-on lui faire confiance ? interrogea-t-il très bas en désignant le chauffeur. Je dois m'astreindre à la plus extrême prudence. Si j'ai préféré vous envoyer un texto au lieu de vous appeler, c'était au cas où la communication serait interceptée par radio, et je…

Il fut interrompu par la question subite que Jaya posa à sa nièce :

— *Pyaari beti ?* Tu as besoin d'aller au petit coin ?

Elle fixait la fillette avec insistance, comme si elle lisait sur son visage. Evie acquiesça immédiatement, l'air grave.

— Oscar, le terminal, ordonna la jeune femme.

Moins d'une minute plus tard, la limousine s'arrêtait devant le hall. D'autorité, Jaya mit alors Androu dans les bras de Theo, avant de prendre la main de la fillette dans la sienne et de l'entraîner à sa suite.

— Mais attendez ! protesta-t-il. Il faut d'abord…

— On ne sait pas attendre, à cet âge-là, coupa-t-elle. Elle a quoi, deux ans ?

Theo eut à peine le temps de confirmer d'un hochement de tête. Puis il la vit foncer vers les portes vitrées, Evie agrippée à elle comme un petit singe à un arbre.

Resté seul, il serra les dents. Du calme ! Jaya n'était pas en train de kidnapper l'un des enfants que lui avait confiés son beau-frère. Le risque n'était pas là. Même s'il y avait un an et demi qu'il ne l'avait pas revue ; même s'il l'avait, au fond, très peu connue.

Très peu ?… Une nuit. Bon sang, cette nuit avait été la pire des erreurs ! Or il se flattait d'être un homme qui n'en commettait pas. Les erreurs étaient un luxe hors de sa portée. Mais quelque chose, dans la personnalité de Jaya, égratignait sa belle discipline. Déjà, à l'époque, il avait enfreint une règle d'or : ne jamais regarder une collaboratrice autrement que comme une collaboratrice. Au cours des quatre années qu'elle avait passées au complexe hôtelier de Bali, Jaya l'avait souvent frappé par sa grâce, sa beauté naturelle et sauvage. Même si elle n'était plus son employée au moment où il l'avait invitée à partager une nuit avec lui, il savait très bien qu'il avait franchi une ligne blanche. Pas seulement parce que c'était imprudent ou contraire à son éthique : parce que c'était tout simplement stupide ! Sans doute avait-il été puni pour ce faux pas : impossible d'oublier la jeune femme depuis son départ, impossible de ne pas songer chaque jour à son visage d'ange, son corps de déesse, sa douceur, sa générosité.

Il avait maudit son fantôme, s'était juré de l'effacer de son esprit. N'y parvenant pas, il s'était contenté du minimum : ne pas répondre aux quelques appels qu'elle lui avait passés.

Aujourd'hui, elle devait le considérer comme un vil séducteur, un lâche. Oui, il s'était comporté avec cruauté, mais dans leur intérêt à tous deux. Bien sûr, il n'espérait pas qu'elle puisse voir les choses sous cet angle ; mais après tout, il l'avait avertie dès le départ qu'il n'y aurait pas d'avenir pour leur aventure. Elle n'allait pas lui en vouloir de s'être montré honnête, si ?

Theo reporta son attention sur Androu, qui avait glissé de ses genoux pour se blottir sur le siège où Jaya était assise un moment plus tôt. Non sans impatience, il scruta encore les portes de verre derrière lesquelles la jeune femme et sa nièce n'apparaissaient pas. L'inquiétude le reprit. La limousine était équipée de vitres teintées, mais si Jaya s'attardait dans le terminal, quelqu'un pourrait reconnaître Evie.

Certes, dans un aéroport, les gens s'intéressaient peu aux autres passagers. Mais c'était un lieu de passage intensif pour les paparazzi en quête d'un visage connu. Prudents, les parents d'Evie avaient fait en sorte que la petite ne soit pas photographiée dans les magazines people où eux se retrouvaient hélas trop souvent. Cherchant encore à se rassurer, Theo songea que, dans son tailleur bleu marine, la jeune femme pouvait aisément être prise pour une hôtesse de l'air. En outre, les yeux en amande et les couettes noires d'Evie ne rappelaient ni la blondeur de son père ni les yeux verts de sa mère.

La réussite en affaires de la fratrie Makricosta avait placé la famille sous le feu des projecteurs. Ainsi, de nombreux magazines avaient assuré la promotion de leur tout nouveau type de croisière, dont le *Makricosta Enchantment* assurait en ce moment même le voyage inaugural ; avec à son bord une flopée de personnalités, célébrités et businessmen importants. Les pirates qui s'approchaient en ce moment du luxueux yacht entendaient-ils prendre en otages de grandes fortunes du monde, pour obtenir une fantastique rançon ? Si c'était le cas, ils avaient fait le bon choix…

Fermant un instant les yeux, Theo s'astreignit au calme. Un problème à la fois. Pour l'heure, Gideon veillait farouchement sur Adara. Et puisque lui-même avait emmené leur fils, son beau-frère pourrait se concentrer exclusivement sur la sécurité de sa sœur.

L'attente devenait interminable. Androu se mit à se balancer de gauche à droite et Theo le reprit sur ses genoux.

— Maman, ânonna son neveu.

Non sans un pincement au cœur, Theo contempla le petit regard innocent, réplique parfaite de celui de son propre frère cadet au même âge.

— Oui, je sais bonhomme…

En réalité, il ne savait rien, sinon qu'Adara avait très tôt endossé le rôle de parent de substitution pour lui-même et qu'il devait en cet instant se montrer digne du dévouement passé de sa sœur aînée.

Adara possédait la même force, le même talent instinctif que Jaya pour les relations humaines. Elle avait admirablement réussi à leur faire traverser, à Demitri et lui, une enfance des plus difficiles. Puis, en guise de victoire suprême, elle avait enfanté un joyeux garnement, capable d'ingurgiter un petit morceau de son premier gâteau d'anniversaire. Le prodige avait eu lieu sous ses yeux quelques mois plus tôt.

— Papa, dit Androu du même ton poli et déterminé que son père.

— Eh non, il n'est pas là non plus, mon bonhomme.

Il jeta un coup d'œil inquiet en direction du chauffeur, qui demeurait immobile sur son siège. Dans son texto à Jaya, il avait insisté sur la discrétion en sollicitant d'urgence son aide pour un véhicule et un lieu où loger, avant de lui donner son heure d'arrivée et le lieu où venir le chercher. Jusqu'ici, elle avait été parfaite. Elle allait bien finir par lui ramener sa nièce !

De nouveau, il scruta désespérément les portes du terminal. Bon sang, que diable fabriquait-elle ? Une aussi petite fille qu'Evie ne devait pas avoir beaucoup de liquide à libérer ! Surtout après avoir tant pleuré. Il se sentit honteux à l'idée de ne pas avoir compris que sa nièce était depuis un bon moment victime d'un besoin pressant. Heureusement qu'il avait fait appel à Jaya ! Il était aussi préparé à s'occuper de deux gamins que s'il atterrissait en plein désert avec deux martiens. Et elle…

Un élan familier se ranima en lui, qu'il chercha aussitôt à réprimer.

Non !

Non, cette fois, en dépit de la tentation, il ne chercherait pas à conquérir la sublime Indienne.

— Aïe ! s'écria-t-il soudain, plus de surprise que de douleur.

Il se redressa vivement, baissa les yeux et vit que son neveu avait décidé d'aiguiser ses petites dents sur la cuisse de son tonton. Déséquilibré par son mouvement trop brusque, l'enfant resta un instant immobile. Puis, son menton trembla et ses yeux s'emplirent de nouveau de larmes.

— Mais non, ce n'est rien, assura Theo en lui caressant les cheveux. Je suis tout à fait d'accord pour que tu me considères comme un jouet à mâcher. J'ai juste été surpris.

Un mouvement à l'extérieur attira son attention. Enfin, Jaya sortait du terminal ! Elle portait Evie dans un bras et avait à la main un sac en papier rempli. Elle arborait une mine de combattante.

Theo se précipita hors de la voiture pour lui ouvrir la portière.

— Du shopping ? s'énerva-t-il. Vous faisiez du *shopping* ?

Il lui prit le sac des mains. Elle installa Evie puis s'assit à son tour, faisant pénétrer dans l'habitacle les volutes de son parfum au bois de santal. Il en fut électrisé, grisé par une bouffée d'euphorie.

— Très drôle, répliqua-t-elle.

Elle se tourna vers le chauffeur :

— Merci, Oscar. Maintenant, conduisez-nous directement à l'hôtel, s'il vous plaît. Par le parking.

Dès que la voiture eut démarré, Jaya se pencha sur Evie et suggéra en souriant :

— Tu as été très patiente. Tu veux boire un peu, maintenant ?

Comme l'enfant acquiesçait, elle ouvrit le sac, en sortit une petite bouteille d'eau minérale et aida la fillette à se désaltérer. Androu tendit la main et émit un son impérieux.

— J'en ai également pris une pour lui, dit-elle. Savez-vous s'ils souffrent d'allergies ?

— Je ne crois pas.

En tout cas, pas Androu. Adara chantait sans cesse les

louanges de son fils, donnant chaque détail de la façon dont il mangeait, jouait, s'exprimait. En général, Theo n'écoutait que d'une oreille, mais si son neveu avait été allergique à quoi que ce soit, il n'aurait pas pu l'oublier.

Le sac contenait aussi des bananes, des yaourts et un paquet de biscuits à la vanille. Oui, bien sûr… Elle avait bien fait.

— Excellent réflexe, d'avoir pris de quoi les nourrir et les désaltérer, observa-t-il.

Il renversait de l'eau partout en cherchant à faire boire son neveu. Celui-ci ne savait que faire de l'embout de la bouteille et crachait tout ce qui s'approchait de ses lèvres.

— Je crois que d'habitude il utilise un gobelet à embout spécial, déclara Theo.

— Non, vraiment ? railla sa compagne. Vous auriez peut-être pu songer à l'emporter, au moment où vous l'avez kidnappé.

Elle pela une banane et la coupa en morceaux. Une minute plus tard, les enfants étaient poisseux et ravis.

— C'est Androu, expliqua-t-il. Mon neveu, le fils d'Adara, ma sœur, et de Gideon, son mari.

— Oh ! s'exclama-t-elle en changeant complètement de visage. Il y a eu des rumeurs sur une fausse couche de votre sœur, à Bali… Je suis heureuse pour elle et son époux. Il est magnifique.

— Ecoutez, Jaya, je me suis tourné vers vous parce que je savais que je pouvais avoir confiance. Cependant, je vous dois quelques explications. Nous sommes parvenus à empêcher certaines affaires familiales de tomber dans le domaine public, dans l'intérêt de ma mère. Et bien qu'elle ne soit plus de ce monde aujourd'hui, nous préférons ne pas laver notre linge sale aux yeux du monde.

Il serra les dents et poursuivit :

— Savez-vous que Nic Marcussen est mon frère aîné ?

— Non, et j'ignorais aussi que votre mère était décédée.

J'en suis désolée. Mais… Marcussen ? De Marcussen Media ? Nic Marcussen est votre frère ?

— Oui.

— Celui qui a épousé l'actrice Rowan Davidson ? Et qui a adopté un bébé venu de…

Elle baissa les yeux vers Evie, qui ouvrait de grands yeux curieux.

— Où est ma maman ? demanda la petite.

Jaya lui proposa un autre morceau de banane.

— Elle va venir te chercher bientôt, répondit-elle d'une voix rassurante.

Puis elle décocha un regard de biais à Theo.

— N'est-ce pas ? ajouta-t-elle.

— Je l'espère sincèrement. Mais d'après ce que j'ai pu voir depuis une certaine altitude à bord de mon hélicoptère, encore faut-il qu'elle échappe d'abord à des pirates.

— Quoi ? s'écria Jaya en ouvrant de grands yeux. Où cela ? En Méditerranée ? Vous plaisantez !

— Je sais ce que j'ai vu. Les autorités sont alertées, mais elles vont d'abord envisager des négociations s'il y a une demande de rançon. La dernière chose dont nous avons besoin, c'est d'un cirque médiatique, surtout autour des enfants. Gardez également à l'esprit qu'ils sont des cibles potentielles. Vous étiez la personne la plus proche que je pouvais contacter, capable de me fournir un point de chute loin des journalistes et des bandits.

La jeune femme hocha longuement la tête, enregistrant visiblement toutes ces informations.

— Comment avez-vous su où je travaillais ? demanda-t-elle d'un ton suspicieux.

Un ton où perçait aussi le reproche : s'il le savait, pourquoi ne l'avait-il pas appelée avant ?…

— Votre employeur m'a contacté puisque je vous recommandais. Vous vous rappelez ?

— Ah… Oui, euh… Merci, bredouilla-t-elle, détournant le regard. C'est un établissement de luxe, indépendant, charmant. Il était déjà très apprécié avant sa rénovation. Les propriétaires ont souhaité une clientèle plus chic, et c'est à cause de mon expérience au sein du groupe Makricosta qu'ils ont choisi de m'engager. Je crois que ma dette envers vous est… éternelle.

Theo se crispa. La jeune femme avait prononcé ces mots comme si elle eût préféré passer sous les roues de cette limousine plutôt que de le revoir.

— J'ai fait réserver la suite présidentielle, reprit-elle. Vous pourrez y rester aussi longtemps que vous le souhaiterez. J'ai annoncé à l'équipe que j'en étais à présent seule responsable : il n'y aura donc ni femmes de chambre ni visites. J'ai prétendu que notre client était asocial.

Son sourire en coin laissait entendre que ce n'était qu'un demi-mensonge.

— Mon nouveau patron ne supervise pas chaque détail de l'organisation de l'hôtel, comme vous le faisiez, ajouta-t-elle. Vous serez parti depuis longtemps avant qu'il pose la moindre question sur le client de cette suite.

Theo reporta son attention sur Androu, qui essuyait ses mains constellées de banane gluante sur sa chemise et tentait de se mettre debout.

— Il me faut davantage qu'un point de chute, avoua-t-il.

Il chercha à contraindre délicatement son neveu à se rasseoir. Agacé, celui-ci se débattit, manifesta sa frustration et se mit à protester d'un grondement continu.

— Je ne saurai pas m'occuper des bébés, poursuivit-il. J'ai besoin de votre aide.

— En tant que nourrice ? Je peux vous appeler une agence qui…

— Impossible de faire confiance à une parfaite inconnue, opposa-t-il en secouant la tête. C'est déjà bien assez ennuyeux que ce chauffeur ait entendu mon nom. J'ai besoin d'une discrétion absolue, au moins jusqu'à ce que je sache ce qui se passe exactement sur le yacht. D'ici vingt-quatre ou quarante-huit heures, nous pourrons réévaluer la situation.

— *Nous* ? Vous voulez m'inclure ? Non. Désolée mais je ne peux pas.

Elle tourna vers lui un regard implorant.

— Ne m'en veuillez pas, Theo, mais c'est vraiment impossible.

A cause de leur histoire, devina-t-il. Parce qu'il s'était comporté comme un salaud. Bon sang ! S'il ne faisait jamais de promesses à une femme, c'était bien parce qu'il se savait incapable de les tenir ! Il n'était pas en mesure d'offrir le bonheur à quelqu'un.

— Songez à ce que vous pourrez en tirer, reprit-il en réfléchissant à toute vitesse. Vous avez devant vous l'héritier de l'empire Makricosta. Vous imaginez la gratitude de ses parents envers la personne qui aura veillé sur lui en de telles circonstances ? Que diriez-vous de travailler pour des croisières de luxe ? L'automne prochain, Gideon va inaugurer un nouveau yacht. Vous êtes en train de gravir les échelons, et je présume que votre carrière vous tient à cœur. Si vous acceptez, Jaya, toutes les portes s'ouvriront à vous. Adara paiera n'importe quelle formation complémentaire dont vous auriez besoin. Il vous suffit de me donner un montant, je paierai ce qu'il vous plaira pour que vous restiez auprès de nous quelques jours.

— Pour jouer la baby-sitter…, murmura-t-elle avec une moue dédaigneuse.

— Si on veut. Ces deux clients-là sont les plus difficiles à contenter que vous ayez jamais eus. On n'obtient rien d'eux en leur offrant un dîner au restaurant.

— Je suis censée rire ? Je ne trouve pas ça drôle.

— Ecoutez, au risque de passer pour sexiste, je vous demande cela parce que vous êtes extraordinaire avec les enfants. C'est ce qui vous pose problème ? Ou bien cela vous ennuie-t-il que je propose de vous rémunérer pour m'aider ?

— Ce qui m'ennuie, Theo, c'est votre présence ici, asséna-t-elle avant de détourner vivement les yeux.

Il était à bout d'argument et comprenait mal sa réaction. Elle semblait furieuse, vexée… bouleversée, même.

— Je suis conscient de solliciter une grande faveur, plaida-t-il.

— Une faveur ? répéta-t-elle. Professionnelle ?

— Non, plutôt un appel à votre générosité. Pensez aux enfants.

Comme elle lui retournait un regard assassin, il enchaîna :

— Jaya, je n'ai pas droit à l'erreur. Il est inconcevable d'abandonner ces deux bébés à une inconnue. J'ai besoin de vous. Dites-moi ce que cela coûtera. Je paierai.

4.

La tension de Jaya était telle que les mots de Theo dansaient une sarabande infernale contre ses tempes. Une sorte de malaise la gagnait.

« Pensez aux enfants », l'avait-il implorée. Aujourd'hui, il n'avait, selon ses propres termes, « pas droit à l'erreur ». Mais à l'évidence il en avait commis une, voici dix-huit mois. Pour lui, leur folle nuit n'avait été rien d'autre qu'une erreur. Alors que c'était tout le contraire…

Elle baissa les yeux sur Androu. La ressemblance était stupéfiante. Reconnaître si nettement les traits de Theo dans le visage de son neveu la troublait.

Tout à l'heure, il avait suffi que le chevalier du ciel retire ses lunettes de pilote pour qu'elle se retrouve dans la peau d'une écolière énamourée. Comme si elle ne venait pas de passer une année entière à assumer des responsabilités inouïes. Elle s'était coupée des hommes, oubliant leur existence, pour passer le plus de temps possible à la maison. Ses rêves d'un avenir avec Theo étaient anéantis depuis qu'il n'avait répondu à aucun de ses rares appels. Malgré le chagrin, elle s'était décidée à reprendre son travail. Pour son équilibre. Pour sa fierté, aussi.

Finalement, en quelques mois, elle avait fini par trouver une stabilité, par s'installer dans une routine. Elle s'était réconciliée avec la façon dont les choses avaient tourné. Elle maîtrisait son existence ; elle était une femme moderne, accomplie, indépendante.

Pourtant… Pas une seconde elle n'avait hésité à répondre au texto de son amant d'un soir. Au moment où l'hélicoptère s'était posé, elle avait retenu son souffle, le cœur battant à un rythme frénétique. Puis elle avait été hypnotisée par son apparition : son blouson aviateur, ce jean noir et élimé qui mettait en valeur sa silhouette parfaite…

Comme autrefois, il formulait des demandes. Poliment, avec gentillesse. « Jaya, je voudrais… », « Pourriez-vous ? », « J'aimerais que… »… Et là, il venait de dire : « J'ai besoin de vous. » Elle était déchirée.

— Il faut que je réfléchisse, marmonna-t-elle.

La situation était insensée. Elle avait eu l'intention de passer toutes les options en revue mais, déjà, la limousine se garait dans le parking.

Bon, elle devait avant tout ne pas laisser un souvenir vieux de dix-huit mois empiéter sur son avenir, se dit-elle en se forçant à se calmer. Lorsqu'elle avait reçu son appel de détresse, elle avait pensé que Theo demandait un service pour un client. Non seulement elle ne s'attendait pas à le voir arriver à Marseille, mais elle n'aurait jamais imaginé qu'il serait accompagné de deux invités aussi accaparants !

Lorsqu'ils furent dans la cage d'ascenseur, elle lui décocha un nouveau coup d'œil exaspéré. Chacun portait un petit. Il tenait le sac de courses en main et la contemplait gravement. Une décharge électrique la fit frissonner.

Non, non ! Leur histoire avait pris fin et ne recommencerait pas, se promit-elle. Les enfants devaient devenir sa seule priorité.

Mais il avait vu juste en évoquant son attachement à sa carrière. En y réfléchissant, Jaya devait admettre que le raisonnement de son ex-employeur tenait debout : si ces deux bambins devenaient ses clients, leur influence sur son évolution professionnelle pouvait se révéler décisive. Elle aimait travailler à la direction de ce somptueux hôtel, véritable institution de la côte méditerranéenne. Cette position la comblait : c'était animé, passionnant. Mais si elle protégeait des paparazzi les héritiers respectifs de Marcussen Media et de Makricosta Resort, une voie nouvelle s'offrait à elle : Paris, Londres, New York… La baguette magique serait dans sa main.

Ils entrèrent dans la meilleure suite de l'hôtel et elle scanna la pièce principale du regard, par réflexe, à la recherche du plus petit défaut. Il n'y en avait aucun.

L'immense suite était pourvue de deux chambres. Le choix de mobilier des années 1960, de style pop, et les aménagements procurant le confort le plus contemporain exhalaient la perfection. Lors de la rénovation complète de l'établissement, la direction avait misé sur un nombre de chambres réduit et le luxe absolu. Situé au cœur de la suite, le grand salon, avec son espace central, ferait une zone de jeux idéale pour les bambins. La cuisine ouverte permettrait de les surveiller tout en préparant leurs repas.

Elle n'aurait pas pu mieux choisir, conclut-elle en jetant un coup d'œil sur la baie vitrée, derrière laquelle se profilaient la terrasse et la piscine privée. Ces vitres étaient même pourvues d'un système d'ouverture sécurisé !

Si seulement leur nuit à Bali ne s'invitait pas dans chacune de ses pensées… « N'y pense pas », lui enjoignit une petite voix intérieure. De toute évidence, Theo avait oublié ce qu'ils avaient partagé.

— Cet enfant ne sent pas bon, lança-t-il, la ramenant brutalement à la réalité.

Il faisait la grimace en reniflant son neveu.

— Je vais demander qu'on nous monte des couches

et vous montrer comment le changer, répondit-elle, insensible au regard de chien battu que lui adressait son compagnon.

Comme il tentait de poser l'enfant, celui-ci s'agrippa à lui de toutes ses forces.

— Il a peur, expliqua-t-elle. Presque autant que vous. Mais il vous connaît, il vous fait confiance. Vous passez beaucoup de temps avec lui ?

— Chaque fois que je me rends à New York, répondit-il en haussant les épaules. Adara m'invite à dîner et me le met sur les genoux. J'imite les gestes de Gideon, et tout se passe bien.

Il tourna le visage vers son neveu.

— Une petite balade en avion, bonhomme ?

Androu sourit, élança ses petits bras en avant et se laissa porter en tournoyant par son oncle avec un long pépiement réjoui.

Jaya prit ce spectacle comme un coup dans l'estomac. Elle détourna la tête au plus vite, afin de conduire Evie sur le canapé. Elle lui alluma la télévision et trouva une chaîne pour enfants.

— Vous pourrez vous occuper d'eux pendant que je passe quelques coups de fil ?

— Vous allez rester, alors, rétorqua-t-il, sûr de lui, comme si le marché était conclu.

C'était si difficile d'être en sa présence ! Et elle aurait payé cher pour être immunisée contre son charme. Pourtant, elle n'avait jamais été *amoureuse* de lui. Pas vraiment, du moins…

A la vérité, elle lui en voulait. Il ne l'avait pas rappelée quand elle avait eu besoin de lui. Elle, en revanche, avait été au garde-à-vous aujourd'hui. Leur relation ne pouvait pas fonctionner ainsi à sens unique.

Il *aurait dû* la rappeler. Il *aurait dû* apprendre que

son propre enfant rêvait, lui aussi, d'un père qui le ferait planer dans ses bras…

Pendant que Jaya était au téléphone dans une pièce voisine, Theo put s'entretenir avec Gideon.

— Ce n'est pas une attaque de pirates, révéla celui-ci. En fait, le fils d'un potentat africain poursuit son épouse en fuite. Cela n'a rien d'une plaisanterie pour autant : les armes sont bien réelles, les conséquences pourraient être dramatiques. Nous sommes immobilisés en pleine mer, en attendant que des navires espagnols et français puissent intervenir. Le FBI exige d'avoir son mot à dire à cause du nombre de ressortissants américains à bord. Quant à nos assaillants, ils menacent d'impliquer une bonne partie de l'Afrique dans la bataille si nous ne leur remettons pas l'épouse enfuie. Mais, à l'heure qu'il est, elle reste introuvable. Les femmes sont sur des chardons ardents depuis que je t'ai confié les enfants : ils vont bien ?

— Très bien, assura Theo en jetant un coup d'œil par l'entrebâillement de la porte derrière laquelle Jaya téléphonait.

Y avait-il un homme dans sa vie ? Incompréhensiblement, cette hypothèse lui retournait l'estomac…

— Peux-tu veiller à ce que personne ne les reconnaisse ? poursuivit son beau-frère. Nic va s'exprimer depuis l'ordinateur de sa cabine… Il ne pourrait pas tolérer qu'on prive Marcussen Media du scoop. Mais il faut donner l'impression que les petits sont toujours à bord.

— Entendu, tu peux compter sur moi.

— Merci. Dès que nous pourrons nous remettre en route, nous serons à une journée de la terre ferme. Nous viserons peut-être Marseille. Je te tiendrai au courant.

Après avoir raccroché, Theo était un peu rasséréné : sa famille ne courait pas un danger immédiat. Pour l'heure, il devait…

Des coups frappés à la porte d'entrée le firent sursauter.

— Ce doit être le concierge qui me porte ce que je lui ai demandé, annonça Jaya en faisant son apparition. Emmenez Androu dans le salon pendant que je m'en charge.

Il reprit son neveu. Sur le canapé, Evie était hypnotisée par son dessin animé. Theo la surveilla jusqu'au retour de Jaya.

Après avoir fermé soigneusement toutes les portes derrière elle, y compris celle donnant accès à la piscine, la jeune femme déclara :

— Nous pourrons nous baigner avec eux tout à l'heure. Ils aimeront ça.

Elle paraissait distraite, nerveuse. Mais elle prenait la direction des opérations d'une main de maître, alors que Theo, lui, se sentait impuissant. Son neveu s'accrochait toujours désespérément à lui, et il se contentait de suivre Jaya dans chaque pièce, comme une âme égarée. Malgré les explications claires qu'elle lui donna quand elle changea la couche d'Androu, il eut l'impression que jamais il n'accomplirait les mêmes gestes avec autant d'aisance.

Puis il la vit porter au milieu du salon les énormes paquets livrés par le concierge.

— Deux chaises hautes et un rehausseur ? nota-t-il en fronçant les sourcils. C'est beaucoup, non ?

Il baissa ensuite les yeux sur ce qui ressemblait à trois lits d'enfant pliants — mais après tout, il n'était pas expert en mobilier de bébé.

— Nous verrons cela plus tard, répondit-elle. Qu'a dit votre beau-frère ?

Il lui fit le résumé de la situation.

— Il n'y en aura donc que pour deux ou trois jours, annonça-t-elle. Vous êtes sûr d'avoir besoin de moi ? Il faudrait que je passe la nuit ici, ce qui signifie…

— C'est beaucoup vous demander, j'en ai conscience, l'interrompit-il. Et, euh… est-ce que cela risque de compliquer également les choses à une personne qui vous serait proche ?

A ces mots, elle se tint coite. Theo se maudissait pour le signe de faiblesse qu'il venait de montrer. Après un long silence, Jaya acquiesça d'un hochement de tête.

Theo fut surpris par la force de la lame qui s'enfonçait en lui. Pourtant, il était normal qu'elle ait fait sa vie : l'élan possessif qu'il éprouvait était complètement illégitime. Et la cohabitation dans cette suite risquait de se révéler intolérable…

Il se frotta nerveusement la joue. N'était-il pas plus raisonnable de laisser la jeune femme appeler une agence de nourrices ? Avant qu'il ait eu le temps d'en décider, un cri déchirant retentit dans la pièce.

Jaya se retourna vivement et courut vers Evie.

— Que se passe-t-il, ma chérie ? Tu t'es fait mal ?

Theo s'approcha et tendit l'oreille en direction de la télévision.

— Flûte, grommela-t-il. J'aurais dû faire attention. La voix de la fée de ce dessin animé, c'est Rowan, ma belle-sœur.

Jaya prit la fillette dans ses bras et la berça en lui murmurant des mots doux. Theo sentit sa gorge se serrer davantage. Elle était… parfaite. Et désormais, elle appartenait à un autre homme. Un homme qui devait prendre soin d'elle. C'était une bonne chose, s'obligea-t-il à penser. Oui, cette jeune femme méritait d'être heureuse.

Il ne se pardonnait pas pour autant de ne l'avoir jamais rappelée. Dire qu'il avait été en proie à la plus cruelle des solitudes, et qu'il avait préféré ignorer ses messages… Par prudence. Devait-il se résoudre à chercher quelqu'un d'autre que Jaya ?

— Que devons-nous faire ? demanda-t-il d'une voix grave.

Berçant toujours Evie, elle ne comprit pas à quoi il faisait référence car elle répondit :

— Rien. Un enfant aussi jeune a besoin de sa maman. Mais nous pourrions les emmener dans la piscine. Tu aimes nager, Evie ?

Quand ils eurent tous enfilé un maillot de bain, ils se glissèrent dans l'eau. Jaya semblait parfaitement à son aise, montrant à Androu comment battre des pieds. Quant à Evie, c'était une vraie sirène, nageant à la perfection, un sourire réjoui aux lèvres.

Au cours de l'heure qui suivit, Theo eut le sentiment que l'harmonie s'était installée. Les enfants s'étaient détendus. Ils étaient joyeux, sans pour autant s'exciter. Les surveiller devenait un plaisir. Certes, il devait souvent détourner les yeux quand il apercevait les tétons de Jaya darder sous le tissu mouillé de son maillot, mais heureusement, la fraîcheur de l'eau jugulait ses ardeurs. La relation qu'ils avaient nouée à Bali avant de coucher ensemble refaisait surface : politesse, sujets de conversation inoffensifs — les enfants, la météo, Marseille…

Soudain, elle prononça son prénom avec gravité.

— Theo ?

Elle était juste derrière lui. Il se retourna et comprit aussitôt pourquoi son regard exprimait l'effroi. Nom d'un chien ! Il aurait dû conserver sa chemise…

— Que vous est-il arrivé ? reprit-elle.

Quel imbécile ! Il prenait toujours soin de cacher son dos dans les circonstances les plus intimes, avec une femme. Mais là, comme ils allaient se baigner, il avait oublié.

— Exactement ce à quoi vous pensez, répondit-il.

— Mais… Qui vous a fait cela ? Quand ?

— Mon père.

La honte l'ensevelit. Il était pénible d'admettre que son propre géniteur avait laissé ces cicatrices dans sa chair.

— Il buvait, expliqua-t-il. Et il ne tolérait pas que je lui désobéisse, notamment en cachant mon petit frère dans ma chambre. Demitri était si jeune… Bref. C'est la raison pour laquelle je ne bois jamais.

La jeune femme le contemplait avec une empathie visible. Or il ne voulait pas de sa pitié.

— Quel âge aviez-vous ?

— Huit ans.

Theo n'avait aucune envie de s'épancher. Toutefois, il avait aussi le sentiment de devoir quelques explications à celle qui l'avait si efficacement aidé.

— Ce fameux soir, à Bali, vous m'avez trouvé dans un drôle d'état. Adara m'avait annoncé au téléphone qu'elle avait rétabli le contact avec Nic. Depuis notre enfance, nous ne l'avions jamais revu. Or, avant son départ, nous menions une vie presque normale. Après, nos deux parents se sont mis à boire. Notre père est devenu violent. J'en ai rejeté le blâme sur Nic, sans penser que nous étions tous des enfants lorsque tout cela s'est produit. En réalité, mon frère n'avait pas eu le choix. J'ai découvert qu'il avait considérablement souffert de son côté, alors quand Adara m'a raconté qu'ils s'étaient reparlé…

Theo secoua la tête en se remémorant la scène. La tendre, la douce Jaya avait frappé à sa porte sur ces entrefaites. Rayonnante de beauté. De gentillesse. La nouvelle de son départ l'avait bouleversé, et il avait tout fait pour qu'elle reste. Au moins une nuit, avec lui.

— Disons que c'était difficile à digérer, conclut-il.

— Je comprends.

— Ah ? Vraiment ?

Elle tourna la tête vers Androu, qui barbotait en riant.

— Non, vous avez raison : je ne comprends pas. Je ne peux pas comprendre qu'un adulte inflige tant de cruauté à un petit être sans défense. Et cela m'émeut profondément.

Leurs regards s'arrimèrent l'un à l'autre. Comme autrefois, Theo perçut avec netteté la force prodigieuse de leur attirance mutuelle. Un phénomène dont il n'avait fait l'expérience qu'avec elle.

Jaya fit quelques pas vers lui et tendit la main vers son front. « Comme autrefois, songea-t-il. Pour rabattre une mèche de mes cheveux. » Mais à l'instant où elle allait le toucher, une sonnerie impérieuse les fit sursauter.

— Qu'est-ce que c'est ? demanda-t-il, inquiet d'une nouvelle intrusion.

La presse avait-elle découvert quelque chose ?

— C'est probablement Quentin. Je lui ai demandé de venir avec…

Elle se tut.

— Ah, bien sûr : vos affaires, supposa Theo. Vous avez bien fait.

Il détestait son rival. Un homme heureux. Un homme qui avait beaucoup de chance. Il y avait intérêt à ce qu'il en ait conscience et qu'il prenne soin de cette merveille de femme le mieux possible.

— Je croyais que nous aurions un peu plus de temps pour discuter, vous et moi, avant son arrivée, déclara-t-elle d'un ton embarrassé.

Ce disant, elle lui tendit une serviette et enveloppa elle-même Androu dans un drap de bain, à la façon d'un *burrito* mexicain. Puis, elle sourit à Evie.

— Nous nagerons encore un peu plus tard, promit-elle à la fillette.

Chacun un enfant dans les bras, ils rentrèrent dans le salon, où de nouveaux sacs jonchaient le sol. Un homme blond se tenait là, avec un air beaucoup trop possessif au goût de Theo.

Il n'ignorait pas qu'il n'avait aucun droit sur Jaya, mais son sang bouillait dans ses veines. Malgré lui, il décocha un regard de défi à l'inconnu : si ce type la voulait, il devrait se battre.

A sa grande surprise, l'homme le dévisageait avec la même antipathie.

— Tiens, lança-t-il d'un ton sec, vous voici enfin !

Cette inattendue déclaration de guerre appelait une réplique, mais l'attention de Theo fut distraite par les cheveux noirs et la peau brune qui dépassaient de la sorte de panier que portait le nouveau venu.

C'était… *un bébé* !

Theo eut du mal à déglutir tant sa gorge était sèche. Il ne faisait aucun doute que ce bébé était celui de Jaya !

— Quentin, je t'en prie, intervint-elle pour calmer le jeu.

Elle lança un regard suppliant au nouveau venu. Theo se raidit. Elle se tourna alors vers lui.

— Quentin est le mari de ma cousine, expliqua-t-elle. Je vous ai parlé de Saranya avant de quitter Bali, vous vous rappelez ?

— Bien sûr, répliqua-t-il machinalement.

Donc, ce blond arrogant n'était pas le père…

— Comment va-t-elle ? enchaîna-t-il.

— Elle est morte, annonça l'homme d'un ton glacial.

Bon sang, quelle gaffe ! Il pouvait vraiment se

comporter comme le dernier des abrutis… Il comprenait à présent la douleur acide de cet homme.

— Je suis navré de l'apprendre, dit-il, sincère.

— Navré ? Vous pouvez l'être c'est certain, rétorqua l'autre d'une voix rogue.

Eh… Ce n'était pas sa faute ! Et pourquoi cet homme qui n'était pas le petit ami de Jaya la défendait-il ainsi ? Pourquoi l'attaquer, lui ? Cette atmosphère d'hostilité commençait à lui taper sur les nerfs.

Pour retrouver un peu de sérénité, il posa le regard sur le petit visage qui dépassait maintenant des linges, dans ce qui se révélait en effet être un couffin moderne. Le bébé semblait un peu plus jeune qu'Androu, mais Theo fut frappé par l'étonnante ressemblance entre les deux. Jaya portait son neveu et semblait nerveuse.

Curieux…

C'était comme si… Seigneur ! « Ne pas lâcher Evie », fut la phrase absurde qui lui traversa l'esprit tandis que son sang semblait se vider de ses veines. Il serra la petite contre lui. Ses oreilles se mirent à siffler, et il n'entendit plus rien. Jaya disait quelque chose au prénommé Quentin. Celui-ci prit congé en plaçant le bébé dans les bras de sa mère, à côté d'Androu.

Oh ! Mon Dieu… Non, c'était impossible ! Et pourtant, tout semblait indiquer que non.

Quand la jeune femme revint dans la pièce, Theo dévisagea son enfant. Puis Androu. Puis l'autre de nouveau. Hormis le fait que la peau de celui-ci était sensiblement plus brune, les garçonnets se ressemblaient comme deux gouttes d'eau. Ils avaient la même bouche, les mêmes yeux, les mêmes cheveux.

Theo était incapable de former une pensée. Il regardait son neveu et le petit de Jaya, médusé.

— Voici Zéphyr, annonça-t-elle. Votre… Ton fils.

5.

Theo la dévisagea comme si elle était une étrangère. Il tenait Evie plaquée contre son torse. Blême, il arborait une expression sévère.

L'accusation allait tomber. Jaya aimait encore mieux la précéder :

— J'ai essayé de te le dire…

Elle n'avait aucune raison d'éprouver des remords : c'était lui qui ne l'avait jamais rappelée, elle n'y était pour rien…

Hélas, ses sentiments pour lui avaient changé depuis un moment. La vision de son dos constellé de terribles cicatrices l'avait bouleversée. Dire qu'un instant plus tôt, dans la piscine, ils avaient rétabli le contact, retrouvé la magie de leurs heures fusionnelles ! Et maintenant, ils étaient comme deux cow-boys prêts à dégainer.

— Ils sont lourds, reprit-elle. On peut aller les installer ?

— Bien sûr, répondit-il en détournant les yeux du sourire timide de Zéphyr.

Son fils était un enfant au tempérament joyeux et ouvert. Elle avait mal en voyant son père lui tourner ainsi le dos.

Dans les sacs apportés par Quentin se trouvaient des tapis, des couvertures, des coussins pour bébés. Après avoir tout étalé au pied du canapé, ils posèrent les enfants sur ce qui était devenu une zone de jeux et de repos.

Trois bébés réclamaient une attention constante, et ils durent leur consacrer les vingt minutes qui suivirent. Malgré la tension effroyable qui régnait entre eux, Jaya était émerveillée de voir les petits s'entendre si bien. Les deux plus grands avaient immédiatement adopté Zéphyr.

Theo changea la couche de son neveu. Lorsqu'il le reposa sur le tapis, il désigna d'un air furieux les attaches scotchées de travers.

— Voilà, c'est l'une des raisons pour lesquelles je ne suis pas fait pour être père, lança-t-il, excédé. Je ne parviens même pas à accomplir les gestes les plus rudimentaires.

— Mais tu es un père, désormais, observa sèchement Jaya. Alors il vaudrait peut-être mieux envisager les choses dans l'autre sens et se mettre à apprendre, tu ne crois pas ?

— Je n'étais pas censé le devenir ! Tu m'avais *promis*. Tu avais dit que ce serait un désastre si…

— Zéphyr n'est pas un désastre ! coupa-t-elle, les larmes aux yeux.

Un sanglot l'étranglait, et elle dut reprendre sa respiration.

— Ecoute, enchaîna-t-elle, nous sommes tous épuisés. J'ai appelé le service d'étage pour qu'on nous serve de quoi dîner. Je vais changer la couche de mon fils et dès qu'ils auront mangé, je t'expliquerai tout.

Les enfants jouaient calmement sur leur tapis après avoir pris leur repas. Jaya et Theo avalaient en silence des spaghettis froids. Le climat était tendu. Elle sentait les regards insistants de son compagnon peser sur elle.

— A part le mari de ta cousine, qui sait que je… que toi et moi… ? demanda-t-il enfin, butant sur les mots.

— Que nous avons fait un bébé ensemble ? suggéra-t-elle, acide. Tu as honte de Zéphyr ?

Son angoisse était telle qu'elle en perdait tous ses moyens. Son fils était sa plus grande fierté. La prunelle de ses yeux. Theo venait tout juste de faire sa connaissance, et sa propre réputation était sa première préoccupation ?

— Honte ? Je n'ai jamais dit cela ! Je suis seulement sous le choc, protesta-t-il vigoureusement. Tu pouvais t'y attendre, non ? Et je ne veux pas que ma famille apprenne la nouvelle par des ragots sordides sur internet. Nous avons déjà bien assez souffert des secrets et des mensonges.

Ces paroles radoucirent Jaya. Theo ne méritait pas sa compréhension, mais elle était sincèrement touchée par sa douleur.

— J'ai essayé de te joindre dès que je me suis aperçue que j'étais enceinte.

Il hocha la tête et fronça les sourcils.

— J'ai pensé à te répondre, avoua-t-il. Je t'assure. Mais Adara est tombée enceinte et, à cause de ses fausses couches, j'ai assumé ses responsabilités en plus des miennes, avec Demitri. Nous avions la tête sous l'eau. Ma mère est morte à ce moment-là. Quand la situation s'est apaisée… Il m'a semblé inutile de te contacter.

Jaya soupira. L'un comme l'autre, ils avaient traversé de pénibles épreuves. En de telles circonstances, elle ne pouvait pas lui en vouloir de ne l'avoir pas rappelée.

— Mais je te faisais confiance, poursuivit-il. Tu m'avais juré de prendre cette pilule, Jaya. Que s'est-il passé ?

Elle baissa les yeux.

— La date de péremption était dépassée, alors je n'ai pas osé. Je me suis dit que j'en achèterais une en France dès mon arrivée. Mais j'ai trouvé Saranya plus malade encore que je ne l'imaginais. Les jours ont filé et quand j'ai pu sortir en ville, il était trop tard. Je me suis dit que j'allais attendre de voir ce qui arrivait.

Elle releva les yeux vers lui et enchaîna d'un ton plus fier :

— Lorsque j'ai découvert que j'étais enceinte, j'ai su que je ne pourrais pas interrompre cette grossesse. Saranya était en train de mourir devant mes yeux. J'avais besoin de croire en l'avenir, de me raccrocher à un espoir, à la promesse de la vie et de l'amour. Aujourd'hui, je vis toujours avec Quentin et sa fille, Bina, qui adore Zéphyr. Quentin est cinéaste, il part souvent à l'étranger, et je le suivrai peut-être lors de son prochain tournage en Amérique du Sud. L'équilibre de mon fils est prioritaire. Il est le soleil de ma vie.

Elle jeta un coup d'œil au-dessus du bar. Les enfants étaient sages. Son fils se laissait caresser le front par Evie. Son cœur déborda soudain de tendresse. Oh non, elle ne regrettait pas une seconde sa décision !

— J'ai tenté de t'avertir, reprit-elle. Tu avais le droit de savoir. Pour autant, je n'attendais et je n'attends toujours rien de toi. Ni argent ni bague au doigt. C'est ma décision, ma responsabilité.

Theo hocha la tête. Il aurait voulu éprouver du ressentiment envers sa maîtresse d'une nuit — ils avaient un accord, elle ne l'avait pas respecté. Néanmoins, il comprenait dans quelles circonstances tragiques elle s'était trouvée, la manière dont elle s'était raccrochée à la vie devant le spectacle terrifiant de la mort. Quand sa mère avait disparu, lui-même avait éprouvé un sentiment d'abandon et de désespoir.

Impossible d'accuser Jaya d'avoir monté une stratégie perverse pour le coincer. Impossible d'être en colère contre elle. Et inutile… Ce qui était fait était fait. L'enfant était là, à présent.

Evie l'extirpa de ses pensées en venant vers lui pour lui tendre un livre.

— Siteplaît, dit-elle en souriant.

Jusqu'à aujourd'hui, Theo avait passé peu de temps avec sa nièce. Mais en la voyant si douce, si attentive à celui qu'elle appelait « bébé Zévire », si attachée à son cousin Androu, quelque chose en lui fondait.

— D'accord, dit-il.

Il se leva pour aller s'installer par terre, adossé au canapé. La fillette vint aussitôt se lover contre lui. Puis Androu les rejoignit à quatre pattes, bousculant légèrement Zéphyr. Le bébé resta en équilibre précaire un instant et se raccrocha pour se stabiliser à la hanche de Theo, qui n'eut d'autre choix que de l'entourer de son bras pour le maintenir contre lui.

Pourtant, il avait soigneusement évité tout contact avec son fils en attendant de prendre une décision — souhaitait-il, *devait-il* jouer un rôle quelconque dans l'existence de cet enfant ? Il leva les yeux vers Jaya, qui semblait tétanisée par la scène. Bien évidemment, elle redoutait que son petit puisse souffrir.

Il n'avait pas le droit de lui faire cela. Ni à elle ni à leur fils.

Il contempla la portée de chatons blottie contre lui. Décidément, même si la situation était déroutante, une évidence demeurait : ces bébés étaient innocents, sans défense. Ils avaient besoin de protection…

Mais il n'était pas fait pour être père.

Ignorant un tiraillement dans sa poitrine, il se mit à lire. En avançant dans le récit, consacré à des animaux fantastiques, il s'aperçut que Jaya s'était levée pour aller prendre son téléphone. Il croyait qu'elle envoyait des messages quand un déclic retentit : elle les avait pris en photo.

Comme il la dévisageait avec incrédulité, elle haussa les épaules.

— C'est peut-être la dernière fois que l'opportunité se présente, lâcha-t-elle d'un ton désabusé.

Une fois les enfants couchés, Theo s'écroula sur le canapé.

— C'est la journée la plus harassante de ma vie, souffla-t-il.

— Essaie dix-neuf heures d'accouchement, rétorqua Jaya. Depuis ton arrivée à Marseille, je n'ai pas trouvé l'opportunité de te préparer à cette nouvelle. Tu sembles furieux, et je ne tiens pas à ce que tu continues à bouillir derrière un masque poli. Alors si tu veux crier, crie. Ne réveille pas les enfants, mais… Je sais que tu te sens trahi. Je te jure que je n'ai pas fait en songeant à obtenir de l'argent de toi, ou quoi que ce soit d'autre.

Durant un moment, il demeura silencieux, comme s'il pesait chaque mot de cette tirade.

— Que tu veuilles ou non de mon argent, je t'en donnerai, déclara-t-il enfin. C'est la seule chose que tu obtiendras de moi.

— Je… Je n'en veux pas, balbutia-t-elle.

— Ce que tu voudrais, c'est que je devienne père. Je le vois bien, Jaya. Mais je t'ai parlé de mon enfance tout à l'heure. Si je souhaite ne jamais fonder ma propre famille, ce n'est pas seulement parce que je redoute d'imiter mon père, mais…

— Je sais que tu ne te comporterais jamais ainsi ! interrompit-elle avec véhémence.

Theo fut stupéfié par cette confiance, cette certitude. Elle avait prononcé ces mots avec un aplomb déconcertant. A la vérité, lui-même doutait d'être capable de violence. Jamais il n'avait levé la main sur un être humain. Il était impensable qu'il reproduise les actes criminels de son père. Devant un enfant, il se sentait démuni.

— Le passif légué par mon père n'est pas la seule raison, poursuivit-il. Nic, mon frère aîné, a grandi dans la solitude, négligé, et il a réussi à se bâtir une place dans la société, à fonder une famille avec Rowan et Evie. Adara est parvenue au même résultat avec Gideon. Quand je les vois éperdus d'affection pour leurs enfants, j'éprouve de l'envie, mais je ne sais même pas quels mots décrivent ce qu'ils ressentent. *Je ne le ressens pas.* Comment pourrais-je leur ressembler ?

La jeune femme le toisait d'un regard intense, concentré.

— Tous les hommes ne tombent pas amoureux de leur enfant au premier regard.

Il soupira.

— Peut-être. Mais Zéphyr mérite d'être entouré d'adultes qui savent ce qu'ils font. Sois la mère que tu es, une mère responsable, et tu ne pourras que tomber d'accord avec moi. Je sais que tu veux uniquement ce qu'il y a de meilleur pour lui.

Elle ne répondit pas. Elle semblait pétrifiée, et Theo avait mal de lui infliger cette souffrance. Lui aussi avait mal. Mais elle lui avait demandé d'être honnête et il l'était.

— Alors parlons d'argent, reprit-il.

Elle afficha une expression horrifiée.

— Que cela te plaise ou non, je vais vous ouvrir à tous deux un portefeuille d'actions, enchaîna-t-il avec fermeté. Il me paraîtrait plus judicieux que tu t'y intéresses.

— Mon Dieu, Theo… Tu sais, j'étais sur le point de laisser Zéphyr avec Quentin jusqu'à demain. Puis j'ai vu combien Evie et Androu se languissaient de leurs mamans. Je ne pouvais pas priver Zéphyr de la sienne pour la nuit. A la vérité, j'étais aussi en colère après toi, parce que tu n'as jamais répondu à mes appels. Je n'ai jamais voulu de ta stupide fortune, ni d'une relation avec toi. Je ne voulais rien *pour moi*. Mais il me paraissait déterminant que tu saches que tu avais un fils. Et comment réagis-tu ? En me proposant de l'argent, pour mieux faire comme si ton enfant n'existait pas !

— Je n'ai pas dit cela.

— Alors joue un rôle dans sa vie !

— Comment ? Je viens de t'expliquer que je ne veux pas le blesser, ni moralement ni physiquement.

A ces mots, elle lui adressa un regard suppliant.

— Tu ne vois pas que, si tu dis cela, c'est que tu éprouves déjà quelque chose pour lui ? Ne le nie pas : tu ressens quelque chose, même si c'est infime. S'il te plaît, Theo, ne le raye pas de ta vie. C'est trop cruel, trop lâche. Je sais que tu es un homme bon. Jamais je n'aurais couché avec toi si j'avais pensé que tu n'accordais pas ta compassion et ton respect à chaque individu.

Il se retourna prestement et la regarda droit dans les yeux.

— Vraiment ? Je pensais que nous nous servions l'un de l'autre, cette nuit-là. Pour fuir nos angoisses respectives. Rien de plus.

— Je… Peut-être. Oui, c'était une fuite pour moi aussi. Mais je ne me suis pas offert cette nuit d'oubli avec le premier venu. Je te connaissais, je savais que tu étais un homme bien. Et je ne regrette pas que cette nuit m'ait permis de donner naissance à Zéphyr. Pas une seconde. Je tiens à ce que tu le saches. Maintenant…

Elle poussa un profond soupir, ferma les yeux un instant et reprit :

— Nous devrions aller nous coucher. A supposer qu'ils dorment d'une traite, ce qui m'étonnerait, ils seront debout très tôt.

Au moment où Jaya passait devant lui, Theo la saisit

par le bras. Elle retint son souffle. Seigneur, elle était irrécupérable ! Il suffisait que cet homme la touche pour qu'elle redevienne une adolescente. Elle baissa les yeux, ne tenant pas à ce qu'il découvre l'ascendant qu'il avait sur elle. Hélas, elle percevait son charisme insensé, son aura masculine. Il était tout près, et il se pencha pour murmurer d'un ton rauque :

— Quand je t'ai demandé tout à l'heure s'il y avait quelqu'un dans ta vie, je parlais d'un homme. Alors ?

Elle haussa les épaules.

— Les choses sont bien assez compliquées comme ça, lâcha-t-elle. Et toi ?

— Tu plaisantes ? Non.

— Tu occupes toujours le poste du concierge au club des cœurs brisés ? insista-t-elle.

— Toujours. Et je guette les nouvelles recrues.

Une étincelle s'était allumée dans son regard, et Jaya fut envahie par une panique irraisonnée. Non, ce n'était qu'une pose : il n'était pas celui qu'il prétendait. Impossible…

— Ne te sous-estime pas, Theo, souffla-t-elle.

— Ne me surestime pas non plus.

— Non, j'attends seulement que tu sois toi-même. L'homme qui a cru discerner un certain potentiel en moi et m'a donné une chance de l'exprimer. Tu es généreux, honnête, exigeant. Tu n'es pas en train de passer un test. Nous avons quelques jours devant nous, apparemment. Pourquoi ne pas les mettre à profit et voir, petit à petit, comment les choses vont se présenter ?

Silencieux, il hocha la tête, visiblement réceptif à ses paroles de bon sens.

— On peut imaginer pire que deux ou trois jours de congé à s'occuper de jeunes enfants, tu sais, assura-t-elle.

— Probablement.

Elle allait poser la main sur son épaule, mais il tourna

les talons. Ignorant la frustration qui lui étreignait le cœur, Jaya se dirigea vers sa chambre.

Avec un peu de chance, la nuit porterait conseil.

Ses neveux occupaient une chambre, Jaya et Zéphyr une autre, et Theo dormait sur le canapé du salon. Son sommeil était perturbé. Hanté par les questions, les projets, les doutes, son esprit le torturait, et il fut heureux de se lever deux fois pour bercer Androu. La chaleur du petit garçon blotti contre lui avait quelque chose de réconfortant.

Jaya se leva aussi, pour préparer un biberon à Zéphyr. Lorsqu'elle passa à côté de lui, il détourna la tête pour ne pas la voir drapée dans le peignoir de l'hôtel, qui laissait deviner la perfection de ses formes.

Pas d'homme dans sa vie… A qui la faute ? A lui, bien sûr ! Il avait couru le risque de lui faire l'amour sans protection. Le résultat était là. Enfanter sans mûre réflexion préalable, jouer avec les lois de la nature… Oui, il avait commis une terrible erreur, et sans doute était-il normal qu'il en soit si lourdement puni.

Ces pensées le tinrent éveillé longtemps après que son neveu fut recouché. Il se tourna et se retourna, le cerveau tournant à plein régime. A bout de nerfs, il finit par se lever pour consulter ses messages.

Un profond soulagement le gagna en découvrant un texto de Gideon : le cauchemar sur le yacht était en train de prendre fin — l'épouse enfuie avait été retrouvée et la police était à bord. Quelques formalités les contraignaient encore à rester à l'ancre mais, selon son beau-frère, tout le monde accosterait à Marseille dans les prochaines quarante-huit heures. Adara connaissait Jaya depuis le passage de celle-ci au complexe de Bali ; sa sœur avait été heureuse d'apprendre qu'Androu et Evie étaient entre de bonnes mains.

Rassuré, Theo retourna se coucher.

Lorsqu'au petit jour Evie vint lui sauter sur l'estomac, il eut l'impression qu'il venait de fermer les yeux — ce qui était probablement le cas tant ses quelques heures de sommeil avaient été hachées. Les cris joyeux de sa nièce réveillèrent Androu, irrité d'être ainsi tiré de son sommeil. Jaya alla lui préparer un biberon avant de le déposer sur les coussins, au pied du canapé, à côté de sa cousine. Puis elle alluma la télévision et mit, à volume très faible, un dessin animé.

— Ils vont peut-être se rendormir, dit-elle. Tu veux bien dresser l'oreille au cas où Zéphyr se réveillerait ? Je vais rapidement prendre ma douche.

Theo était habitué à dormir de façon erratique à cause de multiples décalages horaires imposés par ses voyages d'affaires. Mais tenir une garderie dès l'aube était une tout autre paire de manches — surtout qu'il avait à peine fermé l'œil et que 6 heures n'avaient pas sonné. Il commençait à comprendre pourquoi les jeunes parents étaient si irascibles…

Quelques minutes plus tard, alors qu'il allait chercher son café sur le comptoir de la cuisine, il entendit des pleurs. Se retournant vivement, il constata que ses neveux restaient alanguis dans leurs coussins. Il passa dans le couloir, et les pleurs devinrent plus nets. En entrant dans la chambre de Jaya, il trouva le bébé debout dans son petit lit, les yeux écarquillés, des larmes sur les joues.

« Ce n'est pas un test », se répéta-t-il, songeant aux paroles de Jaya qu'il avait méditées la nuit entière. Et même s'il se sentait incapable d'agir *convenablement*, il était clair que ce petit bonhomme plaçait tous ses espoirs dans la seule grande personne présente dans la pièce.

Impossible de se défiler…

Avec précaution, Theo se pencha pour prendre le bébé, qui lui tendait les bras. Pas d'odeur, pas d'humidité… Au moins, un éventuel changement de couche pourrait attendre que Jaya soit sortie de la salle de bains. Zéphyr avait gardé un morceau de sa couverture serré dans un poing ; il ne tenait visiblement pas à la lâcher. Theo l'en enveloppa avant de le plaquer contre son torse. Il trouvait que la température de la pièce laissait à désirer. Quoi qu'il en soit, le petit parut s'apaiser tout de suite.

Dans le salon, les deux autres bambins s'étant rendormis, Theo s'installa avec Zéphyr auprès d'eux, sur les coussins. Un parfum étrangement familier se dégageait de la tête du bébé. Il sentit peu à peu la torpeur le gagner, aussi s'allongea-t-il, lovant Zéphyr au creux de son ventre, une main sur chacun des deux autres enfants : ainsi, il se réveillerait si quelqu'un dans sa garderie se mettait à pépier.

Alors, il se laissa aller à la somnolence.

Quand elle revint dans sa chambre, Jaya s'aperçut avec surprise que le petit lit de Zéphyr était vide. D'un pas vif, elle se dirigea vers le salon et s'immobilisa, stupéfaite, devant la scène qui se tenait devant elle. Ayant rassemblé les enfants près de lui, Theo dormait, Zéphyr blotti contre lui. La posture semblait si naturelle… On aurait dit qu'il avait fait cela toute sa vie.

6.

Ils terminaient de prendre le petit déjeuner. Theo était silencieux depuis un moment. Il lui avait cependant fait un rapport succinct de la situation sur le *Makricosta Enchantment* et Jaya était rassurée de savoir les proches de Theo hors de danger.

Depuis ce matin, elle avait l'impression que le destin envoyait des signes encourageants. Malgré ses raisonnements de la veille, Theo nouait une relation avec son fils. Sa fibre maternelle s'embrasait chaque fois qu'elle voyait son bébé sourire à son père, gazouiller entre ses bras.

— Envoies-tu toujours de l'argent à tes parents en Inde ? demanda soudain Theo.

Elle se demanda pourquoi il abordait ce sujet, mais acquiesça néanmoins. Puis, comme il n'enchaînait pas, elle but une gorgée de café, posa la tasse sur le comptoir et observa les enfants qui jouaient sagement dans le salon.

— Ta famille connaît-elle l'existence de Zéphyr ? reprit-il tout à trac.

A ces mots, un vieux chagrin refit surface. Jaya revit le visage de ses parents le jour où ils l'avaient bannie, parce qu'elle avait osé partir vivre avec Saranya au lieu de se dissoudre dans le déshonneur dont ils l'accusaient d'être coupable.

Elle poussa un soupir.

— Disons que, en dehors de Quentin et de sa fille, je suis la seule famille de Zéphyr.

Un nouveau long silence suivit cet aveu.

— J'ai croisé beaucoup de gens qui ont une façon rétrograde de voir les choses, dit-il finalement. Mais cela me surprend beaucoup d'apprendre que tes propres parents te rejettent uniquement parce que tu as eu un enfant hors des liens du mariage.

Mortifiée, Jaya termina son café, incapable de lui révéler l'origine de l'attitude de ses parents. Pour elle, la blessure serait toujours là — elle ne parvenait cependant pas à leur en vouloir.

L'expression de Theo demeurait impassible.

— Tu penses que ça arrangerait ta situation si nous décidions de nous marier ?

Il lui avait posé cette question comme s'il lui avait demandé le sel. Elle en fut encore plus blessée que la veille, sur le tarmac, lorsqu'il lui avait montré les deux enfants endormis dans l'hélicoptère et qu'elle avait d'abord cru qu'il s'agissait des siens.

— Mon pays compte déjà trop de femmes qui se marient parce qu'elles sont persuadées de ne pas avoir le choix, lâcha-t-elle. Moi, j'ai le choix. Et je ne suis pas intéressée.

Le silence qui s'installa entre eux crépitait de tension.

— Je devrais aller répondre à quelques courriers électroniques pendant que j'ai cinq minutes, conclut Jaya. J'ai posé un congé à la dernière minute, je dois quand même vérifier deux ou trois choses.

Theo hocha la tête et la regarda s'éloigner, fasciné par la grâce de son maintien, l'ondulation et la beauté de son corps. Une crampe douloureuse le tiraillait. Cette femme le rejetait sans cesse, lui faisant clairement comprendre qu'elle ne lui accorderait jamais aucune place dans sa vie sinon celle du père de leur fils.

Jaya ne ressemblait à personne. Les femmes qu'il fréquentait habituellement se seraient battues pour s'entendre proposer le mariage. Non qu'il lui ait *clairement* demandé de l'épouser… C'était juste une question destinée à mieux cerner sa position au sein de sa famille restée en Inde. A la vérité, il n'aurait su dire d'où sortait cette impulsion. C'était d'autant plus absurde qu'elle lui avait déclaré la veille ne vouloir ni de son argent ni d'une alliance.

Toutefois, il ne s'attendait pas non plus à se sentir si vexé par son rejet. Un rejet compréhensible, pourtant. Qui pouvait avoir envie de le supporter toute une vie ? Il n'avait rien à offrir, sauf son portefeuille.

Les nourrir, les faire jouer, les changer, les emmener nager, leur lire une histoire, les faire jouer, les changer, les nourrir : la journée fut absorbée par le cycle des besoins continuels des trois enfants.

Theo était épuisé. Depuis un moment, Zéphyr se servait de son ventre comme d'un trampoline. Quand Jaya passa devant lui, il crut qu'elle allait abréger son supplice, mais elle se contenta de caresser la tête du petit.

— Il s'amuse bien, on dirait, nota-t-elle. Ce serait trop te demander si je te le laissais un moment ? Les deux autres dorment, j'aimerais essayer de travailler encore un peu.

Theo fut blessé par ces mots. *Trop lui demander* ? Pour qui le prenait-elle ? Un monstre ? Après lui avoir adressé un signe d'assentiment, il resta pensif.

Il était seul. Avec son fils…

Une émotion indéfinissable le saisit. Le bébé lui souriait. Et ce sourire était à la fois familier et inconnu. Depuis la veille, les trois enfants se frayaient un chemin jusque dans son cœur. Mais, avec Zéphyr, c'était différent. Theo pouvait facilement éprouver de l'affection envers ses neveux : sa responsabilité n'était pas engagée. S'il le souhaitait, il pouvait rester dans leurs vies un tonton amusant, un adulte présent pour les moments de distraction, les jeux, les plaisanteries. En revanche, une angoisse profonde s'éveillait en lui quand il contemplait Zéphyr. Il était assailli de peurs irrationnelles. Que se passerait-il s'il était privé de la possibilité de le voir ? Si Quentin entraînait Jaya à l'autre bout du monde, en Amérique du Sud ? S'il lui arrivait quelque chose là-bas — ou ici ?...

Entre deux bonds, le bébé mettait deux de ses petits doigts dans sa bouche en plongeant son intense regard dans le sien. Theo était enserré dans les mailles d'une émotion indescriptible. Ces yeux grands ouverts, brillants, exprimaient une totale confiance. C'étaient ceux de sa mère. Le petit bonhomme se reposait déjà sur lui pour résoudre toutes les questions, tous les problèmes. Theo était conscient de ses nombreux défauts, mais jamais il n'avait fui ses responsabilités.

Oui, s'il arrivait un jour quelque chose à Jaya, qui s'occuperait de leur fils ? L'idée qu'il puisse arriver quelque chose à la jeune femme lui était intolérable. Ce n'était pas seulement pour Zéphyr qu'il tremblait. Une sorte de besoin primitif l'envahissait : son rôle était de protéger la mère comme l'enfant.

Quand le bébé cessa de sauter et retomba sur lui avec un petit soupir épuisé, il ne put s'empêcher de sourire.

— Ça y est ? Tu es venu à bout de tes réserves ?

Il n'avait jamais été démonstratif. Les moments de tendresse, très peu pour lui — sauf dans un lit avec une femme, durant quelques heures. Pourtant, il commençait à s'habituer aux élans de Zéphyr, à sa façon de blottir la tête dans le creux de son cou et de reposer son petit corps contre son torse. Cet abandon lui donnait un sentiment de puissance ; l'impression de réussir, ne serait-ce que durant une minute, à procurer du bien-être à quelqu'un. Ayant connu le manque toute son enfance, il éprouvait une intense satisfaction dans la certitude que tous les besoins de Zéphyr étaient comblés.

Bon sang, que lui arrivait-il ? Etait-ce l'ordre naturel des choses, que les pères soient heureux quand leurs enfants l'étaient ? Quoi qu'il en soit, durant de longues minutes, il savoura sa communion avec Zéphyr.

Elle cessa lorsque les deux plus grands commencèrent à réclamer des jeux. Après être allé dans la chambre de Jaya lui déposer le bébé, il revint vers ses neveux. A ce moment-là, on frappa à la porte. Méfiant, Theo jeta un coup d'œil par le judas.

Quelle ne fut pas sa stupeur quand il aperçut, sur le seuil de la suite, Nic, Rowan et Adara.

Déjà ?

Theo n'avait jamais apprécié les visites improvisées, aussi ne put-il s'empêcher de bougonner en ouvrant la porte :

— Pourquoi est-ce que vous ne m'avez pas prévenu ?

— Ils vont bien ? Où sont-ils ? rétorquèrent les deux femmes d'une même voix, avant de se ruer à l'intérieur.

Nic fit une entrée plus mesurée, prenant le temps de contempler le décor de son œil d'esthète. L'agacement de Theo n'en fut que plus vif : le salon de la suite était un capharnaüm de jouets, coussins, biberons, gobelets, mouchoirs, serviettes…

— Elles étaient dans tous leurs états, expliqua son frère. J'ai dû affréter un hélicoptère. Gideon est toujours sur le yacht. Tout le monde va bien, mais quelle aventure…

Sous les yeux ébahis de Theo, l'expression de Nic se

métamorphosa et un sourire de pur bonheur se dessina sur ses lèvres lorsqu'il s'écria :

— Hé ! Ma grande fille !

Il s'approcha de sa femme pour prendre la fillette qui lui tendait les bras.

— Ne va pas croire que nous ne te faisions pas confiance, Theo, précisa Rowan en posant une main sur son bras. Mais ils nous ont tant manqué !

Theo fit signe qu'il comprenait et se dégagea discrètement. Il n'avait rien contre sa belle-sœur, au contraire, mais cette irruption massive et inattendue lui procurait une étrange et désagréable sensation. Aussi absurde que ce soit, il était déçu. Or il n'avait aucune envie de tenter de savoir pourquoi…

— Je comprends, acquiesça-t-il.

Il était sincère. Sa sœur était en train d'étouffer Androu contre son cœur, les yeux fermés, les cils baignés de pleurs. Il avait à présent une meilleure compréhension du lien mystérieux et intime qui attachait ces adultes à leurs chers bébés, et il ressentait une certaine fierté. Celle d'avoir su veiller sur leur confort, mais aussi qu'on ait bien voulu les lui confier.

— Je savais que tout se passerait bien, et puis ton neveu te connaît, murmura Adara, émue. Mais Gideon t'a mis dans une drôle de situation en t'infligeant la responsabilité de deux enfants si jeunes. Tu as eu un excellent réflexe en appelant Jaya, elle est parfaite. Dis-moi, comment as-tu pensé à elle ? Tu savais qu'elle vivait à Marseille ? D'ailleurs, où est-elle ?

Avant que Theo n'ait eu le temps de répondre à ce feu de questions, une petite voix souffla derrière eux :

— Je suis là.

De concert, ils se tournèrent tous vers Jaya.

— Désolée, dit-elle à l'attention de Theo. Ce remue-ménage a agité Zéphyr. Il a soif maintenant.

En effet, son fils était rouge et ses petits cheveux noirs ébouriffés. Intimidé, il cachait le visage dans le cou de sa mère. Sans hésiter, Theo alla chercher un biberon d'eau minérale, tournant le dos à ce qu'il ne voulait pas voir.

— Je suis désolée, nous l'avons réveillé, déclara Rowan d'une voix affligée. Comment s'appelle-t-il ?

— Bébé Zévire ! s'exclama Evie, toujours calée dans les bras de son père.

— Zéphyr, corrigea Jaya en souriant. Tu as été une nourrice fantastique, Evie. Elle a été adorable avec les deux garçons, ajouta-t-elle à l'intention des nouveaux venus.

— Zéphyr, répéta Rowan. C'est magnifique ! Comme le dieu grec du vent, c'est cela ?

Theo ne réalisa qu'à cet instant pourquoi Jaya avait choisi ce prénom pour leur fils. C'était évidemment un hommage à sa patrie d'origine, à sa passion pour les voyages aériens, lui qui de plus était pilote. Décidément, il ne méritait pas cette femme…

— Merci, répondit Jaya, prête à prendre le biberon que Theo lui tendait pour faire boire l'enfant.

Mais au lieu d'attendre que sa mère se charge de l'opération, Zéphyr tendit les bras vers lui. Habitué aux gestes impulsifs du bébé, Theo le rattrapa pour le bloquer contre lui. Puis, il lui donna le biberon, conscient de l'image qu'il était en train de livrer à l'assistance. Et non seulement il avait tous les gestes d'un père, mais il n'oubliait pas que Zéphyr ressemblait trait pour trait à Androu…

Les petites mains du bébé se posèrent sur la sienne tandis qu'il buvait. Un silence total était tombé dans la pièce. En se contraignant à relever la tête, Theo rencontra trois paires d'yeux sidérées. Ils devinaient forcément sa culpabilité… Un sentiment qui englobait beaucoup de fautes de sa part : le fait de ne jamais avoir rappelé Jaya, d'avoir ignoré l'existence de son fils. Il avait honte de lui.

Submergé par l'embarras, mal à l'aise, il finit par marmonner :

— C'est mon fils.

La stupeur de Nic, Rowan et Adara s'était transformée en incrédulité pétrifiée.

— Theo ne savait pas, intervint Jaya. Je le lui ai appris hier.

Hier ? Ainsi, cela ne faisait qu'un jour qu'il était père ? Il avait l'impression d'avoir vécu au moins une semaine dans cette suite…

Il se remit à respirer, réalisant qu'il avait retenu son souffle durant de longues secondes. Puis, il adressa un regard lourd de sens à la jeune Indienne : elle n'avait pas à venir à sa rescousse. Mais elle lui répondit par un coup d'œil complice, qui signifiait qu'ils formaient une équipe. Elle ne lui en voulait pas.

C'était incroyable ! La générosité de Jaya ne connaissait pas de limites. Il fut saisi par le désir brûlant de l'embrasser. Bon sang, il ne pensait qu'à cela ! Le moment ne pouvait être plus mal choisi, hélas, et il détourna les yeux… juste à temps pour entendre Rowan murmurer à Nic :

— Tu crois que ce sera un vrai mariage indien ? J'ai toujours voulu assister à leurs grandes noces traditionnelles.

A ces mots, Jaya se raidit et Theo s'éclaircit la gorge, encore plus mal à l'aise.

— J'ai parlé un peu vite, c'est ça ? demanda sa belle-sœur en rougissant.

Elle prit la main de sa fille dans la sienne.

— Viens, Evie, allons aider Androu à retrouver sa tasse.

En effet, son neveu, voyant Zéphyr boire, faisait de grands moulinets dans les airs pour exiger lui aussi quelque chose à se mettre dans la bouche, et Adara ne retrouvait pas son verre dans le désordre du salon.

— Je vais vous aider, dit Nic.

Adara renonça alors à cette quête. Elle semblait hypnotisée par Zéphyr.

— Puis-je le prendre un instant ?

Theo vit que son aînée retenait son souffle pendant qu'il lui passait le petit. Dès qu'elle l'eut dans les bras, elle respira le parfum de son crâne et sourit.

Jaya était émue aux larmes. Voir la sœur de Theo accepter cet enfant dépassait tous ses espoirs. Dans le même temps, elle s'accablait de reproches : si seulement elle avait su que tout se passerait aussi simplement ! Elle avait eu tort de ne pas insister davantage. De ne pas avoir expliqué, dans les messages qu'elle avait adressés à Theo, qu'il était important qu'il la joigne. Peut-être même aurait-elle dû prendre contact avec Adara.

— J'ai… J'aurais dû…, balbutia-t-elle en levant un regard implorant vers Theo.

— Non, asséna-t-il en lui saisissant le poignet. *Moi*, j'aurais dû.

Il laissa glisser la main jusqu'à sa paume et entrelaça les doigts aux siens. A ce contact, toutes ses défenses tombèrent et une douce chaleur l'enveloppa.

Theo l'avait surprise en reconnaissant publiquement son fils devant sa famille proche, surtout avec cette spontanéité. Jusqu'alors, elle était persuadée qu'il voyait Zéphyr comme un secret embarrassant à ne pas divulguer. C'était tout le contraire ! Main dans la main, ils faisaient bloc.

Ce bébé possédait un pouvoir magique !

7.

— Je n'aurais jamais pensé tenir un jour ton fils dans mes bras, murmura Adara avec un sourire espiègle. J'espérais bien qu'Androu te remuerait un peu, mais…

Elle s'interrompit et fronça les sourcils avant d'ajouter :

— Mais dis donc, quel âge a-t-il ?

Jaya vit Theo afficher un air coupable.

— Je peux tout expliquer, intervint-elle très vite, c'était…

— Non, coupa-t-il en serrant plus étroitement sa main dans la sienne. Adara, je n'ai aucune envie de fournir un alibi ou des détails. Si tu penses devoir m'écarter de la direction du complexe de Bali, fais-le.

Sa sœur le considéra avec sévérité.

— Je vais partir du principe que, si tu méritais de l'être, tu le dirais franchement. Dans la famille, c'est Demitri qui doit être constamment rappelé à l'ordre au sujet de nos employées. De plus, je ne peux pas être en colère. Nous avons un neveu. Gideon sera fou de joie !

Elle sourit encore à l'enfant avant de le rendre à Jaya, qui fut contrainte de lâcher la main de Theo. En berçant son fils, elle entendit Adara interroger son frère :

— Que vas-tu faire ?

Impossible de décrypter les regards qu'ils échangèrent. Elle en fut agacée : alors qu'elle était la première intéressée par cette discussion, elle s'en trouvait exclue. Elle comprenait toutefois que la réputation de la florissante et médiatique entreprise Makricosta Resort devait entraîner une réflexion face à ce genre de cas. Et que Theo choisirait certainement de taire au monde la naissance de son fils.

Interrompant le cours de ses pensées, il se tourna vers elle, l'air grave.

— Je ne veux plus manquer un autre jour de la vie de Zéphyr.

Son cœur s'emballa. Depuis le choc initial, Theo semblait évoluer rapidement, mais jamais elle n'aurait cru possible qu'il parvienne à cette conclusion si vite ! Pourtant, une lueur résolue brillait dans son regard. Il semblait sûr de lui.

C'était extraordinaire, et elle aurait dû être follement heureuse. Pourtant… Etrangement, elle éprouvait une sorte de jalousie. Il était prêt à tout pour son fils, alors qu'elle n'aurait eu droit qu'à une nuit avec lui : dès le lendemain matin, elle avait cessé d'exister pour lui.

— Nous ne savons pas encore comment nous allons procéder, expliqua Theo à Adara. Nous ne sommes pas encore tombés d'accord. Mais grandes noces traditionnelles ou pas, je compte bien insister pour qu'un mariage soit célébré.

Jaya resta interdite. Non, non… Elle avait rêvé, n'est-ce pas ? Il n'avait pas dit cela ? N'avait-il pas entendu ce qu'elle lui avait expliqué ? Elle ne voulait pas d'un mariage de convenance ! Or il n'était pas en train de lui proposer un mariage d'amour…

En outre, comment pouvait-il lancer ce sujet devant sa sœur sans même l'avoir consultée au préalable ?

— Je n'ai pas encore convaincu Jaya, reprit-il.

Comme Nic et Rowan revenaient vers eux en les dévisageant avec insistance, elle comprit qu'ils avaient entendu la conversation. Seigneur, elle voulait disparaître sous terre !

— Nous n'avons pas vraiment eu le temps de parler, sinon pour nous demander quel bébé devait être changé le premier, murmura-t-elle, les joues en feu.

— Message reçu, dit Nic. Merci infiniment pour votre aide. Si vous avez un jour besoin de quoi que ce soit, n'hésitez jamais à vous tourner vers nous.

— De toute façon, je suis certaine que nous aurons de nombreuses occasions de faire mieux connaissance, renchérit Rowan. Evie semble avoir le même amour pour Zéphyr que pour Androu. Notre départ va faire couler quelques larmes, je le crains…

Ce fut effectivement ce qui arriva. Après avoir laissé les enfants jouer ensemble une demi-heure de plus, Nic, Rowan et Adara donnèrent le signal du départ. Evie se mit à pleurer en comprenant que les deux garçonnets ne la suivraient pas en Grèce.

— Siteplaît papa, implora-t-elle.

— Ce n'est pas possible, répondit doucement Nic. Androu et Zéphyr doivent rester avec leurs mamans et leurs papas.

Le chagrin de la fillette serrait le cœur de Jaya, qui se surprit à lui promettre qu'elle lui rendrait visite avec Zéphyr. Après quoi, chacun se dit au revoir.

Elle se retrouva seule avec Theo.

Entre eux, une foule de questions sans réponses.

Theo et elle passèrent dans le salon, devenu soudain très calme.

— Mon Dieu, soupira-t-elle, je viens de promettre à une enfant de deux ans que j'allais partir la voir en Grèce… Je dois avoir perdu la tête. Je n'ai pas les moyens de faire ce voyage.

— Tu plaisantes ? Nic possède son propre jet et moi le mien. Je t'y emmènerai dès que nous aurons fixé le bon moment.

Il s'écroula sur le canapé, laissant Zéphyr jouer contre lui.

La nervosité de Jaya ne s'était pas interrompue avec le départ de leurs inattendus visiteurs. Certains mots dansaient une folle sarabande dans sa tête : « lune de miel », « mari et femme », « chérir et protéger ». Elle en devenait une pile électrique. C'était ridicule ! Il fallait revenir sur terre et regarder la réalité telle qu'elle était.

Elle s'installa près de son compagnon.

— Tu tiens un certain nombre de choses pour acquises, on dirait. Je ne renoncerai pas à mon travail, Theo. Je ne t'épouserai pas.

Il garda le silence un instant avant de répondre :

— J'admets que les circonstances n'étaient pas appropriées pour évoquer tout cela. Je ne sais pas ce qui m'a pris. J'ai peut-être parlé trop vite à cause du regard de Nic. Adara et Rowan ont toutes deux connu des problèmes d'infertilité, et mon frère devait se demander comment quelqu'un qui avait la chance d'être père sans difficulté se…

— Es-tu en train de me dire que tu veux jouer un rôle dans la vie de Zéphyr uniquement pour éviter le jugement de ta famille ? coupa-t-elle.

— Non. Je dis que le point de vue de Nic m'aide à mettre les choses en perspective, à réaliser qu'une naissance est un miracle. Jaya, je ne suis toujours pas convaincu de pouvoir devenir un bon père. Mais si Nic l'a fait, tout espoir n'est peut-être pas perdu pour moi. Mon enfance m'aura au moins enseigné à ne pas commettre certaines erreurs. Je sais que tourner le dos à mon fils en serait une.

Ce discours magnifique la bouleversa. Theo venait de

dire *tout* ce qu'il fallait dire, avec cœur et sagesse. Elle avait désespérément besoin de le croire, mais il était de son devoir de se montrer honnête. Rien ne fonctionnerait jamais si elle ne savait pas dissocier les besoins de Zéphyr des siens propres. Le fait que son enfant doive grandir à proximité de son père ne signifiait pas nécessairement que ledit père *devait* devenir son mari.

— Je reste opposée à cette idée de mariage, souffla-t-elle.

— Mais si nous vivons simplement ensemble, ta famille ne sera-t-elle pas choquée ?

— Tu… Tu veux que nous vivions ensemble ? lâcha-t-elle, sidérée.

Avec flegme, il rétorqua :

— Si je veux connaître mon fils, il faut que je sois près de lui. Physiquement.

Encore un arrangement, songea Jaya, une douleur intense dans la poitrine. Seigneur, comment pourrait-elle supporter de partager un toit avec cet homme juste parce qu'il voulait passer du temps avec Zéphyr ? Et son équilibre à elle ? Sa santé mentale et affective ? Non, son pauvre cœur ne s'en remettrait pas…

— Je… Je regrette. Je ne souhaite pas vivre avec toi.

— Pourquoi ? Tu vis bien avec Quentin. Je paierai pour tout.

Voilà, l'argent, maintenant ! Tous les problèmes de la vie se résumaient-ils à quelques liasses de billets ?

— Je tiens à mon indépendance, contra-t-elle.

— Mais tu n'es pas indépendante ! Tu es une mère. Ce qui nous unit nous rend dépendants l'un de l'autre. Jaya, il faut parvenir à un compromis dans le meilleur intérêt de Zéphyr. Pas seulement aujourd'hui, mais jusqu'à la fin de nos jours.

Elle baissa la tête, secouée d'émotions contradictoires. Ainsi, Theo était prêt à se sacrifier, à vivre avec une femme qu'il n'aimait pas, afin d'assurer le bien-être de leur fils. Elle ignorait pourquoi cela semblait si facile pour lui… De son côté, elle avait le sentiment que ce qu'il lui demandait la mettrait à la torture.

— Theo, j'ai dû me battre sans répit tout au long de ma jeunesse pour parvenir à gagner mon autonomie. Je ne peux pas m'engager dans la même bataille avec toi. Ne me demande pas de courber l'échine et de faire ce qu'on attend de moi. Tu raisonnes comme si le mariage était incontournable. Mon quotidien déborde déjà d'obligations, depuis que j'ai choisi d'avoir Zéphyr.

— Tu crois que j'ignore ce que cela signifie, de vivre selon des règles édictées par d'autres ? Tu crois que j'aime calculer des taux d'intérêt et vérifier des inventaires de serviettes d'hôtel ? Il y a une différence entre l'absence de liberté et vouloir donner la priorité à sa famille. Mon père n'est plus là pour me déshériter si je décide de démissionner. Je reste à la demande d'Adara, parce que je veux qu'elle réussisse. Mais je n'hésiterai pas à ajuster mes responsabilités au sein de l'entreprise. Je le ferai, parce que je veux passer du temps auprès de Zéphyr.

L'idée qu'il soit malheureux la rendait malade. Soudain, Jaya éprouva exactement la même sensation qu'au soir où elle avait poussé la porte de son appartement, à Bali, le découvrant accablé. Elle voulait l'aider.

— Tu détestes ton travail ? demanda-t-elle avec timidité.

Il haussa les épaules.

— Ne le répète pas à Adara.

Puis, il sourit et enchaîna :

— Non, je ne le déteste pas. Disons que ce n'est pas la voie que j'aurais choisie de mon propre chef. Mon père m'y a poussé. Il aurait privé Adara de l'entreprise si je m'étais rebellé. J'ai préféré la paix et j'ai suivi des études d'économie. Mon métier est plus agréable, désormais : ma sœur a confiance en mes décisions, les profits sont à la hauteur de nos attentes. Mais quand mon père était en vie, j'avais le sentiment que tout était fait pour que j'échoue. C'était un enfer.

— Je crois que je déteste ton père, murmura-t-elle.

Elle en voulait à cet homme d'avoir infligé une telle existence à son propre enfant.

— Bienvenue au club ! Mais il n'est plus là. Fais comme moi : oublie-le.

— Puisqu'il n'est plus là, argua-t-elle, tu n'as plus à assumer un rôle dont tu ne veux pas. Je suis heureuse que tu veuilles occuper une place de premier plan dans la vie de notre fils. Mais que nous vivions ensemble, toi et moi… Selon quel schéma ? Comme des colocataires ?

— Si c'est ce qui te convient, maugréa-t-il.

Seigneur… Elle n'y parviendrait pas.

— Jusqu'à quand ? insista-t-elle. Son entrée au collège ? Au lycée ? A la fac ? Et durant tout ce temps, tu amènerais des femmes à la maison ?

— Non.

Sa voix était ferme. Il la considéra avec gravité, et elle frissonna.

— Il n'y a donc plus rien de ton côté, Jaya ? interrogea-t-il en plongeant le regard dans le sien. Plus rien de ce que nous avons vécu, partagé ?

Une nouvelle fois, son rythme cardiaque s'accéléra. Une étrange torpeur envahit son esprit. Elle dut se forcer à percer ce brouillard pour répliquer :

— C'est-à-dire ? Qu'est-ce que nous avons vécu et partagé ?

— Une harmonie charnelle que je n'ai jamais connue avec personne d'autre, lâcha-t-il sans ciller.

Son visage la brûla tout à coup. Les souvenirs remontaient à sa mémoire. Des images ensorcelantes s'imposaient à elle. Mais… Ce n'avait été qu'une communion des sens, se rappela-t-elle en ignorant son trouble.

— Tu hésites encore à cause de ce que je t'ai dit au sujet de mon père ? reprit-il. Tu as peur que je sois violent avec Zéphyr ?

— Non ! Theo, si je suis bien certaine d'une chose, c'est que jamais tu ne ferais de mal à quiconque, encore moins à un bébé. Ce n'est pas cela. Je…

Elle ne put aller plus loin. Hélas, elle allait pourtant devoir finir par tout lui révéler. Il ne lui laissait pas le choix.

— C'est moi, dit-elle. Tu n'y es pour rien. Je te fais confiance. D'ailleurs, autrefois, à Bali, je ne serais pas restée pour la nuit si je ne m'étais pas pleinement sentie en sécurité avec toi.

Il fit la moue.

— C'est différent, désormais, lâcha-t-il. Une nuit et une vie… Deux âmes blessées cherchant un peu de réconfort dans le plaisir physique, cela n'a rien à voir avec le mariage. La foi dans l'autre doit être immense si on s'engage à partager chaque aspect de la vie. Je comprends ta réticence.

— Non, le problème n'est pas ce que cette nuit a représenté pour moi. Pas seulement, en tout cas.

Elle poussa un profond soupir, et il fronça les sourcils.

— Que veux-tu dire ? interrogea-t-il.

Jaya prit son élan, sachant qu'elle allait devoir remonter loin pour lui révéler toute l'histoire.

— Avant de t'expliquer pourquoi j'ai quitté l'Inde, il faut que je te dise quelques mots de mon enfance. Tu sais que j'étais très proche de ma cousine Saranya. J'avais six ans quand mon père a eu un accident de tracteur. Un accident qui nous a contraints à céder nos terres à mon oncle et à partir vivre chez lui. La mère de Saranya et la mienne étaient jumelles. C'était une grande maison, nous y vivions de manière confortable, mais mon oncle était un tyran. Ses idées vis-à-vis des femmes étaient particulièrement rétrogrades.

Elle attrapa un grand hochet à peluches pour faire jouer Zéphyr tandis qu'elle poursuivait :

— En grandissant, Saranya rêvait de jouer dans des films de style Bollywood. Mon oncle y était farouchement opposé. Il était en train d'arranger un mariage pour elle quand l'équipe de tournage de Quentin est arrivée en ville. Saranya a vu là son salut, et elle n'avait pas tort : Quentin et elle sont tombés follement amoureux, elle s'est enfuie avec lui.

— Et toi, tu es restée seule face à un oncle fou de rage…

Elle acquiesça.

— Ainsi que les deux frères de ma cousine, mon frère cadet et ma sœur. Mon oncle est devenu plus dominateur que jamais, dictant à mon père et à ma mère les nouvelles règles du comportement qu'il attendait de moi. C'est ce qui m'a résolu à trouver un travail coûte que coûte. Je voulais être capable de donner de l'argent à mes parents, afin de les libérer un peu de cette emprise. Mon oncle ne l'entendait pas de cette oreille et exigeait que je me marie. Mais beaucoup de jeunes travaillaient alors pour des plates-formes téléphoniques, ramenant un salaire à la maison. Une amie m'a recommandée. La paye était bonne, et j'ai profité des lignes gratuites pour reprendre contact avec Saranya et parfaire mon anglais. Mon oncle l'avait reniée, mais elle me manquait.

Theo affichait un air effaré.

— Ne me dis pas que tu as peur que je t'interdise de travailler ?

— Non, bien sûr, je sais que tu ne m'interdirais pas

quoi que ce soit. Mais, c'est vrai, je suis un peu inquiète de ce que deviendrait ma carrière si nous devions nous marier. Quoi qu'il en soit, ce n'est pas ce que je cherche à te dire.

De plus en plus mal à l'aise, elle se leva et se mit à arpenter la pièce. Faisait-elle erreur en lui révélant tout cela ? Qu'allait-il penser d'elle ? Réagirait-il comme sa famille ?

Elle rassembla son courage pour enchaîner :

— J'ai eu un problème quand j'occupais ce poste. Il y avait un homme… Mon chef. Il devait avoir une quarantaine d'années. Je n'avais même pas vingt ans. Il flirtait avec moi… Sauf que ce n'était pas du flirt.

Un bref silence suivit.

— Harcèlement sexuel, lâcha enfin Theo d'une voix grave.

— Un soir, alors que je rentrais chez moi, c'est allé jusqu'à l'agression.

Elle avait l'impression d'avoir à peine murmuré ces mots, mais le lourd silence qui suivit fut éloquent : Theo avait parfaitement entendu. Non sans inquiétude, elle tourna la tête vers lui, redoutant sa réaction. Son visage n'exprimait rien d'autre que la dévastation. Pâle, son compagnon restait immobile. Enfin, il serra les poings.

— Je n'aurais jamais dû t'entraîner dans mon lit, cette nuit-là…

— Tu ne l'as pas fait ! opposa-t-elle. C'était ma volonté, et… Tu sais à quel point j'ai aimé ça.

Ses mains étaient moites, son front brûlant.

— Cette nuit a été la toute première depuis ce qui s'était produit en Inde, précisa-t-elle. Avant toi, je ne désirais plus qu'un homme me touche.

— Bon sang, j'étais ton patron…

— Non, tu ne l'étais plus. J'étais libre. C'est moi qui suis venue te trouver. Qui t'ai demandé de m'embrasser.

Rappelle-toi combien j'étais étonnée de te plaire aussi. Et auparavant, quand j'étais à ton service, je me suis toujours sentie en confiance avec toi. Tu m'as offert quelque chose d'incroyable. J'ai commencé comme femme de chambre et, grâce à toi, j'ai gravi tous les échelons en un temps record. Au cours de mes quatre années à Bali, j'ai appris à ne plus avoir peur. C'est *toi* qui m'as rendu confiance en moi. Je savais que je ne risquais rien, que tu serais toujours là pour me protéger. En Inde, je n'avais aucun recours…

— Quoi ? Tu n'en as pas parlé à ta famille ?

Jaya ravala le sanglot qui l'étranglait.

— J'ai porté plainte à la police et mon oncle en a eu honte. Il m'a traitée de catin. Mes parents n'étaient pas en position de prendre ma défense. Ils ont voulu que j'épouse cet homme, qui était déjà marié.

Theo se prit la tête dans les mains en murmurant :

— Nom d'un chien, Jaya…

Elle aurait voulu se blottir contre lui, mais elle était paralysée et restait debout, tâchant d'empêcher son émotion de la submerger.

— Heureusement, reprit-elle, j'avais Saranya.

— Elle est venue te chercher ?

— Elle m'a envoyé son passeport. Après sa fuite, mon oncle avait caché tous nos papiers. Ma cousine et moi avions seulement un an d'écart, nous nous ressemblions beaucoup. Comme Quentin tournait un film en Malaisie, Saranya m'a fait parvenir un billet pour Kuala Lumpur. Elle venait d'accoucher de Bina. Ils m'ont recueillie, m'ont fait passer tous les examens médicaux. J'ai pu recommencer ma vie.

Theo secouait encore la tête, incrédule.

— Je ne parviens pas à croire que tu envoies toujours de l'argent à tes parents.

— C'est surtout pour ma mère et ma sœur. J'ai

voulu gagner ma vie le plus vite possible. Après avoir été entretenue par mon oncle, je ne tenais pas à me retrouver dans la même situation, même si la générosité de Quentin et de Saranya n'avait pas de limite. Ma maîtrise de plusieurs langues était mon meilleur atout. J'ai appris l'allemand avec Quentin et, alors qu'il tournait à Bali, j'ai trouvé un poste chez Makricosta. Il m'a suffi de déclarer à l'ambassade que j'avais perdu mon passeport pour en obtenir un autre. Je sais que c'était un mensonge, mais…

— Enfin, Jaya, personne ne te le reprocherait ! Ou plutôt, personne hormis ton oncle.

Elle hocha la tête et resta silencieuse. Cette conversation l'avait rendue si vulnérable… Elle ne s'était jamais confiée ainsi auprès de quiconque — pas même Saranya, qui n'avait connu que les grandes lignes de son infortune.

En ce moment, elle aurait tout donné pour se perdre un peu dans le travail, mais hélas… Elle ouvrit de grands yeux. Oui, le travail ! Bien sûr, réalisait-elle soudain. Maintenant que les deux enfants venus avec Theo avaient retrouvé leurs parents respectifs, rien ne l'empêchait de reprendre son poste !

— Je crois que je vais ramener Zéphyr chez moi, dit-elle. Une pile de dossiers m'attend dans mon bureau. Il faut que je m'en occupe.

Theo la toisa avec calme.

— Pourquoi ne pas me le laisser ? Je ne vais nulle part. Tu seras tout près s'il a besoin de toi.

— Tu… Tu comptes rester encore un peu ici ?

Il approuva d'un hochement de tête.

— Bien. Entendu. Si tu veux bien dîner tard, nous pourrons discuter tranquillement ce soir.

— Cela me paraît parfait, acquiesça-t-il.

8.

Quand on appela Jaya à l'accueil pour l'avertir de l'arrivée de Bina, son premier mouvement fut de renvoyer sa cousine de huit ans chez elle. C'était Quentin qui avait priée la baby-sitter de se rendre à l'hôtel avec la petite, sans doute en se disant que Bina aimerait voir Jaya, et que celle-ci pourrait échapper à un tête-à-tête avec Theo.

Elle se ravisa. Bina entretenait un lien privilégié avec Zéphyr — un lien qui aidait la fillette à surmonter le traumatisme de la mort de sa mère. Jaya n'avait pas le cœur de l'en priver, et elle envoya un message à Theo pour l'avertir que Bina et sa baby-sitter passeraient une partie de la soirée avec Zéphyr ; ce qui leur permettait de se donner rendez-vous dans le hall pour aller dîner.

Après avoir raccroché, elle se précipita dans la salle de bains attenante à son bureau pour se changer, tout en se demandant pourquoi elle s'infligeait cette frénésie.

Elle n'avait pas pu s'empêcher d'acquérir une robe et une paire d'escarpins à la boutique de luxe de l'hôtel, profitant du pourcentage dont elle bénéficiait en tant qu'employée. Il s'agissait tout de même d'une folie : jamais elle ne portait de talons si hauts en temps normal, et sa robe très féminine, chamarrée de rouge, d'orange et de rose, contrastait singulièrement avec sa garde-robe de tailleurs sages.

Elle brossa soigneusement ses cheveux et rafraîchit son maquillage. En se regardant dans le miroir, elle fut à la fois fière et gênée de sa témérité. Dans l'ouverture de ses escarpins ourlés de sequins brillants, ses orteils peints en rose étaient aussi féminins que les mouvements de sa robe.

Elle avait encore du mal à assumer les aveux faits à Theo, mais c'était comme si elle était libérée d'un poids. Son secret n'en était plus un : le passé pouvait enfin être relégué derrière elle.

Dans un acte de bravoure ultime, elle passa un trait de gloss sur ses lèvres et se dirigea vers l'accueil, là où Theo était censé l'attendre.

Et il était là… Son cœur battait un peu plus fort dans sa poitrine. Il possédait le même charme dévastateur qu'à Bali et, ce soir, il était plus séduisant, plus viril que jamais dans sa chemise amidonnée et son pantalon blanc impeccable tombant sur des mocassins élégants. A la fois simple et sophistiqué, il exhalait le charisme, le pouvoir.

Il se tourna distraitement vers elle avant de s'immobiliser pour la détailler avec stupéfaction.

— Pas d'uniforme, ce soir, observa-t-il sobrement.

« Et pas de compliment non plus », songea-t-elle, déçue.

— J'ai réservé une table juste en face, annonça-t-elle.

Elle se sentirait plus à l'aise en restant à proximité de Zéphyr et de Bina.

Il acquiesça, et ils poussèrent la porte de *La Fumée blanche*, un restaurant qui faisait également office de dancing, où elle rêvait de venir depuis longtemps. Or c'était typiquement un lieu propice aux couples, aussi avait-elle dû y renoncer.

Une grande salle était réservée au repas, devant une petite piste de danse. Sur la scène, trois jazzmen jouaient le thème de *La Panthère rose*. Un bouquet de roses fraîches était posé sur leur table, les sièges étaient garnis d'épais coussins de velours et la vue sur la Méditerranée était splendide.

— Un verre de vin ? demanda Theo.

— Je croyais que tu ne buvais jamais ?

— En effet, mais toi ?

— Parfois, pour les occasions particulières… Pas ce soir, merci.

Un silence pénible s'installa dès qu'il eut commandé les entrées et qu'ils restèrent en face-à-face.

— Bina a pu monter sans problème ? s'enquit-elle, tout en se maudissant pour la stupidité de cette question — si Bina et sa baby-sitter n'avaient pas rejoint Zéphyr, ils ne se trouveraient pas à l'hôtel !

— Elle te ressemble, dit-il. J'en ai été saisi. J'ai même pensé que j'avais sous les yeux l'image de ce que serait notre… ta fille si tu en avais une. Les gens doivent vous prendre pour deux sœurs, non ?

— Tout le temps, rétorqua-t-elle très vite, ignorant les battements de son cœur.

Ce « notre » avait allumé un brasier en elle…

Theo avait passé un après-midi pénible. La confession de Jaya l'avait ébranlé. Après avoir souffert de la cruauté de son oncle, elle avait immédiatement fait l'expérience de la sordide brutalité d'un homme. Plus que jamais, il admirait son courage, sa force. Et il comprenait mieux ses résistances à l'égard du mariage.

Mais ce soir, il était également déstabilisé par la tenue si sexy qu'elle portait. Quelle superbe jeune femme !.Il avait follement envie de l'embrasser.

— Je n'aurais pas dû te raconter tout ça, soupira-t-elle. Ça change ton regard sur moi, n'est-ce pas ?

— Oui. Cela met en valeur tes qualités. Mais je me

sens honteux. Je n'aurais pas dû profiter de ta candeur, de ton innocence… Tu méritais mieux.

A ces mots, elle le considéra avec un mélange de consternation et de révolte.

— Mieux que d'éprouver du plaisir pour la première fois dans les bras d'un homme ? Mieux que Zéphyr ?

Il était rare que Theo ait le sentiment de se faire clouer le bec mais, sur le moment, il ne vit pas quel argument opposer à une telle démonstration.

— Dis-toi que c'est comme tes cicatrices, Theo. Celles qui te strient le dos. J'aurai toujours les miennes, moi aussi, mais elles s'effacent davantage chaque année. Et quand on fait le plein de bons souvenirs, ils éclipsent les mauvais.

— Alors je suppose que c'est mon problème, admit-il. Je n'ai pas de bons souvenirs. Sauf un…

Il la dévisagea avec intensité, la faisant rougir.

— Ecoute, commença-t-elle, je sais que le mariage est certainement la meilleure option pour Zéphyr, mais l'union conjugale dure toute la vie. Je ne peux pas me lancer comme ça, si vite. J'ai d'abord besoin de savoir à quoi cela ressemblerait.

— Je n'en ai aucune idée, avoua Theo. A quoi veux-tu que cela ressemble ?

Elle s'enfonça dans son fauteuil et observa un couple qui se levait de table pour aller sur la piste. Quand elle se retourna vers lui, une lueur enfantine, espiègle, brillait dans ses yeux.

— Tu danserais avec moi ?

— Bien sûr, dit-il en se levant, avant de lui tendre la main.

— Non, je veux dire… Tu serais le genre de mari qui emmène sa femme danser ?

— Tu ne m'invitais pas ? Alors je le fais. M'accordes-tu cette danse, Jaya ?

Un frisson lui parcourut l'échine quand la jeune femme plaça la main dans la sienne. Bon sang, il savourait enfin le contact de sa peau !

Le rapport des femmes à la danse était assez mystérieux pour la plupart des hommes qui, de leur côté, rechignaient trop souvent… Mais Theo avait compris dès son plus jeune âge que celui qui acceptait de danser avait toutes les chances de conduire sa cavalière sous ses draps. Ses mouvements étaient affirmés par la pratique ; pourtant, ce soir, il avait l'impression d'être gauche et redoutait de commettre un faux pas.

Jaya semblait peu familière de l'exercice. Elle posa une main sur son épaule, puis recula au lieu d'avancer avant d'afficher une mine consternée.

— Ce n'est rien, dit-il. Contente-toi de me suivre.

Elle obtempéra, et sa grâce naturelle fit le reste. Ensemble, ils évoluaient de manière étonnamment harmonieuse. Comme à Bali, se dit Theo, encore plus excité à ce souvenir.

— J'ai passé le test avec succès ? demanda-t-il, taquin.

— Tu triches, protesta-t-elle en riant. Mais je me sens bien. Je n'avais jamais dansé ainsi. Je n'ai jamais non plus connu une vraie sortie avec un homme. Je suis contente d'avoir osé te parler de danse, parce qu'un peu d'audace peut offrir de belles surprises. En revanche, aucun homme ne m'avait jamais demandé ma main non plus ; c'est pourquoi il faut que tu comprennes mes hésitations.

— Tu m'as toujours plu, Jaya.

Ce n'était peut-être pas ce qu'elle souhaitait entendre, il en avait conscience, mais il voulait se montrer honnête.

— A Bali, reprit-il, chaque fois que je te croisais, j'avais envie de toi. Jamais je n'aurais pris l'initiative de t'en parler pour autant. Je me suis seulement laissé aller quand tu m'as fait comprendre que, *toi*, tu avais envie de moi.

— Tu veux bien m'embrasser, s'il te plaît ? murmura-t-elle. Je voudrais savoir si…

Il happa ses lèvres, incapable d'attendre une seconde de plus. Ses lèvres douces, pulpeuses, chaudes… Il s'enivra de leur goût ensorcelant, enroula la langue autour de la sienne en un mouvement languide, sensuel. La jeune femme s'accrocha alors à son cou, l'invitant à approfondir son baiser. Il lui fut difficile de trouver en lui la discipline nécessaire pour s'abstenir de la plaquer contre lui, pour éprouver la chaleur de son corps de liane contre le sien. Mais il s'y astreignit et concentra tout son désir dans leur baiser.

Il sourit en se détachant d'elle, bienheureux.

— Moi aussi, je voulais savoir.

Puis, il la fit tourner sur elle-même avant de reprendre leur pas de danse.

— Nous sommes toujours aussi incroyables, ensemble, observa-t-il. N'oublie pas d'en prendre bonne note dans tes délibérations intérieures.

Jaya ne put s'empêcher de rire. Elle aimait l'humour de Theo. Son beau Grec lui avait tant manqué ! En cette seconde, elle n'avait qu'une certitude : elle désirait passer le reste de sa vie auprès de lui. Ce n'était pas seulement l'appel primitif de l'union du mâle et de la femelle pour la reproduction de l'espèce. Elle pouvait lui dire oui demain, ou dans des années, cela ne changerait rien au fait que jamais elle ne rencontrerait un homme capable de produire cet effet sur elle. D'une certaine façon, elle se sentait déjà unie à lui. Cette hésitation à franchir le cap du mariage officiel avait tout d'une bataille perdue…

Cependant… Ils s'entendaient bien, le sexe serait merveilleux, l'argent faciliterait la vie, certes, mais serait-ce suffisant ?

— Je crois que nos plats sont servis, observa-t-il en désignant leur table.

— Oh !

Distraite, elle le suivit et se rassit, encore chamboulée par leur baiser.

— Où habiterions-nous ? demanda-t-elle gaiement.

— Il faut que je parle avec Adara pour rationner mes voyages. Mariage ou pas, je veux me rendre disponible pour Zéphyr, même si je ne pourrai jamais arrêter complètement mon activité de globe-trotter. Je ne tiens pas spécialement à faire de Paris ma base, mais c'est plus près de l'Inde que New York. Ça te plairait ?

Elle le considéra avec attention.

— Il faudrait que cela te plaise aussi. Je suis flexible. Je suis repartie de zéro à différents endroits. Et toi, tu vis dans ton hélicoptère et dans ton jet privé. Tu as pris l'habitude d'être très libre. Avoir une femme et un bébé bousculerait ta vie, Theo.

— Oui, j'en suis conscient, reconnut-il avec flegme. Je ne prétends pas que ce sera facile, surtout au début, mais je suis persuadé de vouloir t'offrir la sécurité et la protection. Le mariage est le meilleur moyen d'y parvenir.

Jaya était flattée. Theo était un homme bien. Un homme fiable. Il y avait certainement de l'affection dans sa demande, au-delà de tout ce qu'il envisageait. En tout cas, elle était sûre qu'il la considérait comme une alliée. Mais cela suffirait-il ?...

La conversation dériva vers des sujets plus légers tandis qu'ils savouraient l'excellente cuisine méridionale de l'établissement. Ils n'évoquèrent plus le mariage du reste du dîner.

Il fallut d'abord libérer la sévère Mme Begnoche, pendant que Theo négociait un traité de paix avec

Bina. L'enfant était effondrée d'apprendre que Jaya et Zéphyr ne les accompagneraient pas, Quentin et elle, en Amérique du Sud.

— *Pyaari beti*, dit Jaya, tu savais que je resterais en France, que l'idée de vous accompagner n'était qu'un projet…

— Je sais, mais…

Elle fondit en larmes. Theo sortit prestement une carte de visite de sa poche, écrivit quelque chose dessus et la tendit à la fillette.

— Tiens, Bina, c'est mon mobile personnel. Chaque fois que Zéphyr te manquera, je veux que tu m'appelles. Nous ne serons probablement pas en mesure d'arriver le jour même, mais je te promets que nous ferons tout pour te rejoindre dans la semaine. Et si ton papa est d'accord, je viendrai également te chercher pour que tu viennes nous rendre visite. Tu verras, nous inventerons une solution.

— Merci, murmura la petite d'une voix plus apaisée.

Elle lui tendit les bras, et Theo l'embrassa en l'assurant encore de son amitié. Puis Bina repartit chez elle avec sa baby-sitter dans la limousine affrétée par Theo.

— Merci, dit Jaya dès qu'ils furent seuls. Mais tu ne peux pas continuer à nous proposer sans cesse, à moi et à ma famille, de nous emmener partout dans le monde.

— Pourquoi pas ?

— Parce que…

Elle se tut, embarrassée. Cette soirée avait été si merveilleuse qu'elle se décida à crever l'abcès.

— Theo, reprit-elle d'une voix altérée par l'émotion, tu ne m'as pas rappelée. Tu m'avais dit que tu ne le ferais pas, je ne l'ai pas oublié. Mais… je pensais que entre nous, c'était différent. Je croyais que tu m'aimais bien.

Comme le visage de son compagnon se fermait, elle s'empressa de préciser :

— Je ne parle pas d'amour, évidemment. Mais j'ai besoin qu'il existe quelque chose entre nous ; quelque chose qui ne se limite pas à des raisons pratiques et à une attirance sexuelle. Ce ne sont pas des bases solides pour un mariage. Cela ne fournit pas une raison de se battre. Si tu avais éprouvé des sentiments pour moi…

Elle s'interrompit une nouvelle fois. Une sorte de blessure s'imprima sur les traits de Theo. Il observa un long silence. Enfin, il lâcha :

— Je ne comprends pas pourquoi tu souhaiterais que ce soit le cas.

Jaya s'astreignit à la prudence. Elle s'aventurait dans des zones dangereuses, elle le savait.

— Tout le monde a envie d'être… *apprécié*. Pas toi ? demanda-t-elle avec prudence.

Il secoua la tête en signe de dénégation.

— Non. Cela m'est indifférent.

— Mais… Prenons l'exemple de ta sœur. C'est important pour toi de savoir qu'elle t'aime, non ?

Il haussa les épaules.

— Je suis sûr qu'elle connaît ma loyauté. Qu'elle sache pouvoir compter sur moi me suffit.

Seigneur, il avait fermé toutes les portes, songea-t-elle. Il aimerait sans doute mieux se faire couper en quatre plutôt que d'admettre un infime besoin d'amour. Il fallait qu'il ait connu l'abandon le plus absolu pour en arriver là, à se barricader derrière une forteresse imprenable.

— Bon, soupira-t-elle en s'efforçant de s'exprimer avec calme. Moi, je veux être appréciée. J'aimerais que le désir que tu éprouves pour moi ne concerne pas uniquement ma lingerie. Parce que tu es un homme séduisant, Theo, mais quand j'ai envie de toi, c'est *aussi* parce que je… t'apprécie.

C'était un euphémisme. Un autre mot s'imposait à

elle, mais il lui faisait si peur qu'elle le rejeta aussitôt dans son inconscient.

— Bon sang, Jaya…

Il leva les yeux au ciel et poussa un profond soupir.

— Pourquoi ? reprit-il.

Elle avait si mal qu'elle fit quelques pas vers lui, posa les mains sur son visage et le contraignit à soutenir son regard.

— Pourquoi je t'apprécie ? Parce que tu es un homme bon. Tu n'as jamais perdu patience avec tous ces bébés, alors que ce quotidien était entièrement nouveau pour toi et que tu n'as pas pu dormir de la nuit. Quand tu étais petit, tu protégeais ton petit frère en ignorant ce que tu subissais toi-même, et…

— Chut, ça suffit, dit-il en posant un doigt sur ses lèvres. Tu me demandes si je t'apprécie, Jaya. Je n'ai pas d'amis. Je ne sais pas comment fonctionne l'amitié. J'aimerais pouvoir te dire que je t'aime, que je vais t'offrir tout ce que tu es en droit d'attendre d'un homme. Mais, puisque tu espères l'amour, je ne te mérite pas.

Elle allait l'interrompre, mais il lui caressa délicatement les cheveux en l'invitant à se presser plus intimement contre lui.

— Pourtant, reprit-il alors, je suis encore trop égoïste pour renoncer à toi. Ce n'est pas seulement parce que la nuit, je rêve de toi nue. Tu sens bien combien je te désire en ce moment… Mais il existe beaucoup de belles femmes dans le vaste monde. Toi, tu es unique. Tu es très spéciale, Jaya.

— Merci de me dire cela, murmura-t-elle en l'enlaçant avec tendresse.

— Ce n'est pas assez, n'est-ce pas ? Oui, tu mérites mieux que moi…

Ils étaient parvenus à la croisée des chemins. Elle devait choisir, à présent. Refuser ce mariage sans amour et ne jamais savoir comment leur histoire aurait pu tourner, ou bien accepter sur la foi de la perfection charnelle et spirituelle de leur union à Bali — en espérant qu'ils la ressusciteraient. Et qu'elle saurait s'en contenter…

Jaya réfléchit, le souffle court.

— Il va falloir que tu me croies sur parole, quand je te dis que je serais honorée de devenir ta femme.

Visiblement stupéfait, Theo s'écarta pour la dévisager.

— Es-tu en train de dire que… ?

— … que je souhaite t'épouser, Theo.

Elle vit alors passer sur son visage une expression de fierté mâle, immédiatement suivie d'une intense émotion.

— Merci. Dès demain matin, nous nous occuperons de ta bague.

— Oh ! Je n'en ai pas besoin.

— Si, asséna-t-il. Je tiens à ce que les choses soient faites dans les règles de l'art. Ce qui signifie que nous attendrons notre nuit de noces.

— Mais…

— Combien de temps dure la préparation d'un mariage ? coupa-t-il.

— Je ne sais pas. Tu es sûr de vouloir suivre un rituel si rigoureux ?

— Certain, confirma-t-il, avant de déposer un baiser d'une infinie tendresse sur ses lèvres.

Jaya était ivre d'excitation, de peur, de joie… Son cœur battait la chamade. Et les attentions de Theo la faisaient fondre.

Il sourit et revint à la charge :

— Quand pourrais-tu être ma femme ?

— Hum… Un mariage représente quelques mois de préparatifs mais, avec une formule simplifiée, une ou deux semaines de délai peuvent suffire.

— Non, il faut que ce soit un grand mariage. Traditionnel. Respectueux de ta culture, pour que ta famille vienne. Tu veux que ta famille soit présente, n'est-ce pas ?

— Mes parents, oui, admit-elle. Mais je n'ai jamais eu envie d'être au centre de toutes les attentions lors d'un grand mariage. Et j'imagine que toi non plus.

Un sourire amusé se dessina sur son beau visage si viril.

— Peut-être pas, reconnut-il. Toutefois, nous avons des partenaires et de la famille, à New York comme en Grèce, qui seraient ravis de participer à un tel événement.

Jaya se mit à rire.

— Tu as réponse à tout… Alors va pour un grand mariage !

9.

Ayant eu plusieurs fois l'occasion de voir sa vie changer du jour au lendemain, Jaya avait appris à affronter un nouveau départ avec patience et sang-froid. Après sa fuite brutale de l'Inde, elle avait vécu plusieurs mois en Malaisie avec Quentin et Saranya, avant de partir pour Bali. Là-bas, elle avait réussi à se forger une existence paisible et agréable. L'arrivée en France avait été un autre choc culturel, et sa famille l'avait aidée à s'y acclimater.

Mais rien — non, rien — ne l'avait préparée à être propulsée dans l'univers des Makricosta. Il avait d'abord fallu qu'elle donne sa démission : un choix douloureux, qu'Adara avait infiniment facilité en lui soumettant plusieurs descriptifs de posts à examiner, « au moment où tu te sentiras prête ». Au fil des semaines, les voyages s'étaient multipliés. Londres pour deux nuits, parce que Theo devait se rendre à une réunion et assumer « un machin ».

— Quel genre de machin ? avait-elle demandé quand il l'avait priée de l'accompagner.

— Un travail de représentation. Nous avons payé la rénovation d'un bâtiment historique, et un membre de la famille royale sera présent à l'inauguration. J'ai été choisi pour représenter le groupe.

Un membre de la famille royale ! Il annonçait cela comme s'il s'agissait d'une simple formalité.

Elle avait donc dû sévèrement réviser sa garde-robe, et possédait désormais tant de tenues qu'elle en avait le tournis. C'était comme si chaque fois qu'elle se retournait, Theo était là pour lui tendre de nouveaux sacs de créateurs renommés, remplis de splendeurs.

— Je croyais que les femmes aimaient le shopping, avait-il observé devant sa mine ahurie.

— Mais tout cela coûte une fortune ! Et je ne travaille plus.

— As-tu seulement idée de l'argent que je gagne ? De la manière dont je l'investis ? Sache que je ne suis pas dépensier.

Sauf quand il était question de vols en avion et en hélicoptère. Seul, Theo avait effectué de brefs allers-retours, au Japon et en Amérique du Sud. Jaya ne s'en plaignait pas, cherchant à mettre à profit le temps de cette transition pour s'accoutumer à ne plus voir Bina chaque jour et à préparer leur futur foyer à New York.

Elle adorait cette ville. Ils n'y avaient passé qu'une semaine, et elle était impatiente de s'y établir pour de bon. Au cours de ce séjour inaugural, ils avaient élu domicile dans l'appartement familial des Makricosta, à l'intérieur de l'hôtel de luxe de la firme. Le penthouse personnel de Theo s'était en effet révélé trop étroit pour deux, d'autant que Jaya respectait les besoins de son compagnon — il avait toujours été un homme introverti, secret, et il faudrait qu'il puisse jouir d'un espace privé là où ils s'installeraient.

Vivre à l'hôtel dans ces conditions avait été une expérience étonnante : alors qu'elle avait pour habitude de toujours être au service de ses clients, elle s'était retrouvée avec une armada d'employés prêts à bondir au moindre de ses besoins.

Il y avait eu des moments de doute. Mais, quand elle commençait à penser qu'elle commettait la pire erreur de son existence, son fiancé était toujours là pour la rassurer. Ainsi, Theo gardait ses distances en public. Devant l'agent immobilier qui les avait aidés dans leur recherche d'un lieu à eux, pas une seule fois il ne s'était approché d'elle pour lui tenir la main ou l'embrasser. Mais à peine avaient-ils franchi le seuil de leur suite qu'il l'avait entourée de ses bras pour la couvrir de baisers.

— Il y a des heures que j'attendais de faire ça, avait-il avoué.

Ils s'étaient finalement décidés pour un appartement en dernier étage, à quelques pâtés de maisons de chez Adara et Gideon. L'endroit possédait une fantastique terrasse, une piscine et offrait une vue spectaculaire sur Central Park.

Le jour où ils avaient scellé le marché, Theo s'était montré particulièrement silencieux.

— Tu es sûr ? avait-elle demandé en berçant Zéphyr. Tu n'as pas l'air enthousiaste.

— Bien sûr que si ! Tu as dit que tu en étais folle. Et tu sais bien que je ne suis pas un romantique, mais… J'ai pensé qu'au moment où nous aurions trouvé, il serait bon de fêter cela par un geste solennel.

L'air emprunté, il avait alors sorti un écrin de la poche de sa veste. Jaya avait compris que cet instant le plongeait dans l'anxiété depuis des heures.

Emue, elle l'avait embrassé avant de lui tendre leur bébé et d'ouvrir l'écrin. Le bijou était si beau qu'elle en était restée sans voix. Theo avait fait créer spécialement pour elle un anneau d'or bouclant sur lui-même, serti de diamants roses. Cette pièce unique était à la fois extravagante, délicate et très féminine.

Aussi belle que le Parthénon baigné par la lumière orangée de cette fin de journée, songea-t-elle en admirant la vue depuis sa fenêtre, dans le somptueux appartement familial des Makricosta où ils résidaient en attendant d'emménager. Theo et elle avaient choisi de se marier à Athènes. Le voyage en avion serait moins épuisant pour sa famille, et le symbole réjouissait celle de Theo.

C'était un peu comme un conte de fées… Et la nuit précédente, elle en avait eu une révélation.

Ils avaient dîné ici avec Adara et Gideon, ainsi que Nic et Rowan — qui possédaient leur propre appartement à New York. Les bébés avaient été fous de joie de cette réunion. Toute la soirée, Theo et Gideon avaient couru derrière eux, ramassant jouets, peluches et tétines que les enfants semaient gaiement partout. Ainsi que l'avait prévu Adara, Gideon était tombé amoureux de Zéphyr. Pour l'amuser, il n'hésitait pas à se rouler par terre et à imiter tous les animaux de la Création. Jaya n'aurait jamais pensé voir le président du conseil d'administration de l'empire Makricosta dans de telles postures !

Plus réservé, Theo attendait toujours qu'un petit vienne à lui pour se mettre à jouer. La soirée avait été une réussite. Durant la nuit, elle s'était levée et avait trouvé Theo allongé sur le dos dans la nurserie, tenant à bout de bras un Zéphyr aux anges de se sentir comme un super-héros. Tous deux riaient, et elle avait prétendu devoir aller dans la cuisine pour les laisser à leur intimité.

En réalité, elle avait eu besoin de cacher ses larmes. Theo venait d'imiter les gestes de Gideon. *Il avait besoin que quelqu'un lui montre comment aimer…* Et elle en était bouleversée. Elle était cette personne. Peu à peu, elle comprenait combien elle l'avait mal jugé, et son cœur s'ouvrait à lui. Theo Makricosta n'était pas un homme froid, mais un homme qui croyait ne savoir aimer personne et ne mériter l'amour de personne. Le temps et la patience pouvaient tout changer.

Une porte claqua au loin dans l'appartement et elle sursauta, tirée de ses pensées. Puis elle sourit, impatiente de retrouver son fiancé. Parfois, à son retour, il se rendait d'abord dans la nurserie pour voir Zéphyr. Ensuite, ils passaient un long moment à s'embrasser avec ferveur, et elle avait tellement envie de lui qu'elle en avait mal. Pourquoi n'étaient-ils pas déjà mariés ? Cette attente devenait plus insupportable de jour en jour. Elle brûlait de sentir ses mains sur sa peau, de retrouver le goût de la sienne… Ses nuits la mettaient à la torture et elle ne songeait plus qu'à l'instant où il serait en elle, où ils ne feraient qu'un.

Savourant la bouffée de chaleur qui l'envahissait, elle quitta le salon et traversa le corridor pour venir à sa rencontre.

Theo était bien là, dans l'entrée… plaquant une femme contre le mur et caressant son corps avec ardeur !

Non…

Jaya se frotta les yeux. Les mains fiévreuses de Theo couraient sur la jupe à pois de l'inconnue, perchée sur des sandales à talons hauts. Comment osait-il lui infliger ce spectacle ?

Sous le choc, elle resta interdite un instant, avant de se rappeler le conseil d'une femme de chambre en chef et de crier avec rage :

— Service nettoyage !

La jeune femme vacilla sur ses échasses. Sans s'interrompre ni se tourner vers elle, Theo bougonna :

— Oui, eh bien revenez plus tard, je suis occupé.

Sur ces mots, il embrassa sa conquête de plus belle.

Jaya tenait à peine sur ses pieds. Ses oreilles bourdonnaient. Soudain, la lumière se fit dans son esprit. C'était bien la voix de Theo, la silhouette de Theo, mais ce n'était pas lui !

— Demitri ? interrogea-t-elle, incrédule.

Le nouvel arrivant tourna enfin les yeux vers elle,

la considéra avec attention et parut comprendre à qui il avait affaire.

— Jaya ?

— Tu es marié ? s'offusqua l'inconnue.

— Bien sûr que non ! protesta Demitri. C'est la fiancée de mon frère. Jaya, nous avons besoin d'intimité : peux-tu nous laisser ?

Il ponctua sa demande d'un geste explicite, secouant la main. Jaya ne se démonta pas :

— Certainement. J'attendais justement que le bébé se réveille pour partir faire du shopping, ironisa-t-elle. Puisque vous êtes là, vous allez pouvoir le surveiller.

Demitri lâcha enfin sa partenaire, ouvrit la porte d'entrée et fit signe à la demoiselle de sortir.

— Attends-moi devant l'ascenseur, susurra-t-il.

Quand ils furent enfin face à face, Jaya croisa les bras sur sa poitrine.

— Bien joué, lança Demitri avec un sourire en coin.

Maintenant qu'elle avait tout loisir d'étudier son visage, dont les traits s'étaient estompés dans son souvenir, Jaya s'apercevait que la ressemblance était nette mais qu'on ne pouvait confondre les deux hommes. Demitri était plus jeune. Sa séduction était puissante, mais plus… frondeuse. Toute sa physionomie laissait deviner le mauvais garçon.

— Pourquoi ? rétorqua-t-elle, cynique. Je croyais que, dans la famille, on confiait souvent des bébés à un oncle célibataire.

Il ricana.

— Tu as changé en quelques années. Je me souvenais d'une jeune fille timide, effacée, et je me demandais même comment Theo avait trouvé la témérité de sortir avec toi.

Durant un instant, Jaya avait eu très peur. Et maintenant, elle en voulait à son futur beau-frère de lui avoir infligé cette frayeur et de se comporter avec ce sans-gêne. Toutefois, elle avait été avertie : Demitri était le « sale gosse » de la famille. Or, s'il conservait cette attitude, c'était parce que personne ne s'opposait jamais à lui.

— A propos de sorties et de cavalières, cette jeune fille était celle qui t'accompagnera à mon mariage ? Au cas où tu ne serais pas au courant, les Makricosta résident dans une autre suite de l'hôtel, ces jours-ci. Ici, j'attends ma propre famille, qui ne devrait plus tarder.

Le jeune homme haussa les épaules.

— Non, ce n'est pas ma cavalière. Je ne sais même pas comment elle s'appelle, d'ailleurs. Je l'ai ramassée dans un bar.

Intriguée par sa constance dans le manque de respect, Jaya le toisa.

— Demitri, pourquoi aimes-tu prendre les gens à rebrousse-poil ? Cela te donne un sentiment de pouvoir, d'amener le chaos avec toi ?

Il demeura impénétrable.

— Je pensais au contraire me tenir bien. La dernière fois que Theo s'est fiancé, je lui ai pris la demoiselle.

Comme elle accusait le choc, les yeux écarquillés et la bouche bée, il sourit et enchaîna :

— Il ne t'en a jamais parlé ?

Le sang de Jaya bouillait dans ses veines. Elle avait une folle envie d'envoyer à ce jeune homme un coup de pied bien placé. Il avait osé séduire une petite amie de son frère ? Et il s'en vantait ? Une autre question la hantait : pourquoi Theo ne lui en avait-il rien dit ?

— Il sait que tu n'es pas mon genre, lâcha-t-elle sèchement, au moment où la porte d'entrée claquait une nouvelle fois.

Theo venait d'arriver…

Il parut percevoir immédiatement la tension à couper au couteau entre son jeune frère et elle.

— Jaya était en train de me dire que je ne suis pas son genre, déclara Demitri d'un ton faussement chagriné. Heureusement que j'ai de quoi me consoler sur le palier.

Il allait sortir quand Theo le retint en posant deux doigts menaçants sur son torse. Jaya retenait son souffle : jamais elle n'avait vu son compagnon si furieux. Une colère froide, inquiétante, se lisait sur tous ses traits.

— Il t'a fait des avances ? interrogea-t-il en se tournant vers elle.

— Euh… Non, balbutia-t-elle.

— N'essaie pas, lâcha-t-il entre ses dents à l'attention de Demitri. Jamais. J'ai mes limites. Tu viens d'en rencontrer une.

Jaya tremblait à présent. Une partie d'elle voulait penser qu'un tel élan de possessivité prouvait que Theo tenait beaucoup à elle, quoi qu'il en dise, mais elle restait déstabilisée par la révélation de Demitri. Pourquoi Theo ne lui avait-il jamais dit qu'il avait été fiancé ? Avait-il aimé cette femme ? Et s'il l'aimait toujours ? Cela expliquerait pourquoi il était incapable de tomber amoureux d'elle… Le poison courait déjà dans ses artères. Elle avait mal au ventre, mal dans le cœur.

Avec calme, Demitri glissa contre le mur pour se dégager de l'emprise de son aîné. Puis, il sortit sans un mot.

Theo gardait la mâchoire serrée. Un long silence pesa entre eux. Enfin, il la regarda.

— Je suppose que tu as eu droit à un florilège d'arrogance, ce qui explique ton air exaspéré ?

Elle déglutit avec peine, mais parvint à répondre, d'une voix sépulcrale :

— En fait, je viens d'apprendre que tu as déjà été fiancé. Tu comptais me le dire un jour ?

*
* *

Jaya ne cherchait nullement à dissimuler qu'elle était blessée, et Theo sentit la culpabilité lui nouer l'estomac. En même temps, son cœur tambourinait toujours sous le coup de la colère.

Demitri et lui avaient connu quelques moments de friction intense, mais jamais il ne s'était senti si près de donner une correction à son frère. La violence physique avait détruit son enfance. Ce n'était pas une option. C'était pourtant à croire que son cadet cherchait à tout prix à en arriver là.

— Zéphyr dort ? demanda-t-il.

— Oui, depuis une vingtaine de minutes.

Bien. Ils pouvaient donc avoir cette pénible discussion…

Il se passa une main sur le visage en soupirant, cherchant à recouvrer son calme. Son imbécile de frère l'avait privé de l'un des moments qu'il chérissait par-dessus tout depuis six semaines : quand il finissait son travail, il adorait voir son fils et embrasser Jaya à en perdre haleine. Malgré le désir qui le rendait fou, il n'était pas mécontent de s'en tenir à leurs baisers. Il avait l'impression de redevenir un adolescent. Le soir de son mariage serait magique, et il savait déjà que son émotion…

— Theo ?

S'extirpant de sa rêverie, il contempla le visage courroucé de sa compagne. Evidemment, il n'avait pas à traverser ce genre d'épreuve à l'époque où il se contentait de liaisons sans lendemain. Et il était furieux d'avoir à revenir sur ce pénible épisode de son passé.

— C'est humiliant, révéla-t-il d'un ton brusque, jetant ses clés sur la table de l'entrée.

Il invita la jeune femme à l'accompagner dans le salon. Elle s'assit lentement, tandis qu'il s'effondrait dans un fauteuil. Bon sang, pourquoi devait-il parler de cela ? Il aurait préféré ne plus jamais y penser !

— Quand ? interrogea-t-elle. Après notre nuit à Bali ? Parce que je suis certaine de n'avoir jamais entendu de rumeurs à propos de ton mariage quand je m'y trouvais.

— C'est beaucoup plus vieux. Des années avant.

Etrangement, ce détail parut détendre Jaya, qui afficha une expression plus compréhensive. Il se décida à expulser une bonne fois pour toutes ce fardeau qu'il portait depuis des lustres.

— C'est mon père qui avait arrangé cette affaire.

10.

— *Arrangé* ? répéta-t-elle, interloquée. Mais… Quand je t'ai annoncé que je quittais Bali et Makricosta Resort, tu semblais choqué à l'idée que je puisse me rendre en France pour un mariage arrangé !

— Exactement. C'était pour cette raison : je savais de quoi il s'agissait.

Theo était tenté d'en rester là et de laisser dans le congélateur de sa mémoire une affaire qui ne regardait, somme toute, que lui. Mais une autre envie le tenaillait : celle de faire disparaître toute distance entre Jaya et lui. La seule manière d'y parvenir consistait à déminer le passé. Il avait horreur de s'épancher mais, pour elle, il le ferait.

— Etais-tu amoureux d'elle ?

Sa voix chevrotante en disait long sur le dégoût que lui inspirait cette idée.

— Non, assura-t-il. C'était une mondaine, fanatique de soirées et de dîners en ville. La fille d'un puissant homme d'affaires de New York ayant un peu perdu de sa superbe. Il voulait cette union, et comme mon père désirait un héritier…

— Quoi ? Tu m'as dit que tu n'avais jamais voulu être père ! s'offusqua-t-elle.

— Je confirme. Mais je n'avais pas le choix.

— Les hommes ont toujours le choix, maugréa-t-elle.

Ils ne sont pas aussi vulnérables que les femmes dans ce genre de situation. Elle a dû subir plus de pression que toi, tu sais.

— Je ne crois pas. Tu as raison, j'aurais pu choisir d'être déshérité. Mais, si je l'avais fait, j'aurais entraîné Adara dans mon histoire. C'était impensable, après la fuite de Nic.

Sans parler de la sécurité : sa sœur serait restée à la merci de leur père. Le temps de la réflexion avait été bref car il ne pouvait pas hésiter : un mariage dont il ne voulait pas n'était qu'un petit désagrément à côté d'une vie de malheurs pour son aînée.

— Demitri a dit qu'il avait couché avec elle, osa-t-elle.

— En effet.

Sans doute était-ce le moment où Theo s'était définitivement coupé de l'humanité entière, d'un point de vue affectif. Impossible par la suite de faire confiance à qui que ce soit. La trahison était venue de ce qu'il avait de plus cher. Impossible, cependant, d'en vouloir à Demitri. Son geste l'avait sauvé de cette alliance forcée. Et puis comment ne pas préférer son petit frère ? Seule Jaya semblait être différente des autres sur ce point.

Elle fronçait les sourcils.

— Je ne comprends pas. Pourquoi a-t-il fait cela ? Pour prouver qu'il en était capable ? Pour te blesser ?

— Ce n'est pas arrivé qu'une fois. Sans vouloir lui chercher une excuse, je dois te dire qu'ils entretenaient une liaison. Qui l'avait initiée ? Depuis quand ? Je l'ignore. Demitri avait dix-neuf ans, elle vingt-trois. Elle venait le chercher en voiture et paradait dans le hall de notre palace pour être certaine d'être au centre de l'attention générale.

Naturellement, son père l'avait accablé de reproches, comme s'il était fautif — alors qu'il suivait ses études dans un autre Etat ! L'ambition se payait cher, chez les

Makricosta comme ailleurs. Theo se jura que, si Zéphyr ne souhaitait pas faire mieux que griller des steaks dans un fast-food, il veillerait quand même à ce que son fils sache qu'il était fier de lui.

— Et qu'a-t-elle dit quand tu as rompu ? reprit Jaya. Il avait peut-être eu tort de garder cette sale histoire au fond de lui. Il s'était senti faible, alors qu'il en était sorti plus fort.

— Rien. Je ne l'ai pas fait.

— Tu... Tu n'as pas rompu ? Pourquoi ?

— C'était inutile, dit-il en haussant les épaules. Adara a convaincu notre père que nous étions bien assez salis par ce fiasco. A ce moment-là, Gideon était entré en scène. Leurs fiançailles m'ont délivré.

— Sinon, tu serais allé jusqu'au bout ?...

Il soupira.

— Il n'existait pas de bon choix. Si je rompais, mon père s'en prenait à ma mère et à ma sœur.

Jaya ne parvenait pas à croire qu'un père ait infligé à son fils une épreuve si cruelle. A la manière dont Theo lui racontait cette histoire, elle devinait la force de caractère qu'il avait dû se forger dès le plus jeune âge ; la carapace, aussi.

— Je comprends ta loyauté envers ta sœur. D'autant qu'elle t'a toujours soutenu, elle a veillé sur toi quand vous étiez petits... Mais j'ai du mal à comprendre votre indulgence envers Demitri. Comment peux-tu t'entendre avec lui ? A moins que vous ne soyez toujours comme chien et chat ?

— Non, nous parvenons à nous entendre. Nous parlons d'une vieille histoire, Jaya, c'est du passé. En revanche, je tenais à ce qu'il sache à quoi s'en tenir vis-à-vis de toi. Et je veux que tu me promettes de tout me dire s'il franchissait la ligne jaune en ta présence. Je ne plaisante pas. Sur ce point, j'exige que son comportement soit exemplaire.

— Parce qu'il a déjà commis cette faute…

— Parce que tu m'as confié ta protection, corrigea-t-il. Il faudra me trancher la gorge avant que je permette à quiconque de te heurter. Mon frère inclus.

Le cœur de Jaya battit un peu plus vite. Une nouvelle fois, son fiancé lui dévoilait la force de son engagement envers elle.

— Je t'en prie, murmura-t-elle, ne parle jamais de mourir.

— J'espère bien que nous n'en arriverons jamais à de telles extrémités. Laisse-moi au moins te garantir que je ferai tout pour l'empêcher. Je ne peux pas t'offrir grand-chose, ne me retire pas cela.

Ces mots lui lacéraient la poitrine. Bouleversée, elle tenta de surmonter son émotion.

— Ce n'est pas vrai, opposa-t-elle avec douceur. Tu m'offres beaucoup, au contraire : toi. Cesse de penser que ce n'est pas assez.

Un lourd silence s'installa entre eux. Jaya fixait le sol, trop embarrassée pour relever les yeux vers son compagnon.

— Tu trouves ? demanda-t-il enfin. Je ne suis pas d'accord. Toi, tu m'as donné Zéphyr, et c'est un cadeau qui n'a pas de prix.

Elle sourit.

— A mon tour de ne pas être d'accord. Zéphyr est merveilleux. Et s'il l'est, c'est par moitié grâce à toi.

Ils se levèrent ensemble, échangèrent un long regard et se prirent la main. Une délicieuse chaleur montait en elle. Theo se pencha vers elle. Jaya laissa son cœur s'emballer et savoura le contact de ses lèvres sur les siennes. C'était le baiser le plus tendre, le plus enivrant qu'ils aient jamais partagé.

— Excuse-moi, marmonna-t-il. Il aurait mieux valu que je prenne l'initiative de te le dire, au lieu de courir le risque que tu le découvres ainsi. C'est un peu comme quand Gideon a dit hier à Androu de ne jamais toucher une ampoule et que son fils s'est soudain mis à fixer obstinément toutes les lampes. Je ne tiens pas à ce que tu aies de fausses idées en tête.

— Tu ne penses tout de même pas que je risquerais d'avoir une liaison avec Demitri ? s'esclaffa-t-elle. Il m'a fait de l'œil, lors de mon arrivée à Bali, et je l'ai immédiatement assassiné du regard.

Theo secoua la tête.

— Je ne comprends vraiment pas pourquoi il se sent obligé d'agir comme un crétin.

— Adara et toi gardez tout sous contrôle. S'il parvient à semer le désordre, il prend le pouvoir.

Il parut frappé par cette réplique.

— Comment se fait-il que tu aies su voir cela et pas moi ? murmura-t-il.

Il la contempla avec une sorte de fierté teintée… d'affection ? Son visage exprimait de l'amusement et de la tendresse. C'était si près du bonheur que Jaya fut aussitôt sur un petit nuage.

— Je suis follement impatient de t'épouser, chuchota-t-il.

— Vraiment ?

Un brasier venait de se rallumer dans son bas-ventre.

— Tu sais, enchaîna-t-elle, j'ai pensé que c'était toi, quand Demitri est entré. Et lorsque je l'ai vu en train d'embrasser une femme, j'ai vécu un moment atroce. J'étais dévastée.

— Je vais l'étrangler, lâcha-t-il, les dents serrées.

— Non. Car j'ai compris de moi-même que c'était impossible. Que jamais tu ne me ferais une chose pareille. C'est la première fois que j'ai si pleinement confiance en un homme, Theo. J'aimerais parvenir à te faire mesurer la valeur du cadeau que tu m'as fait.

Glissant ses bras autour de son cou, elle se hissa sur la pointe des pieds pour l'embrasser passionnément. Il répondit avec ferveur à son étreinte, et chaque atome de sa féminité se consuma de désir. Elle avait désespérément envie de lui… De ses caresses, de sa peau sur la sienne. De sa bouche sur son corps.

Fiévreuse, elle chercha sa langue de la sienne et plaqua ses seins gonflés de désir sur ses pectoraux. Il fit entendre un gémissement rauque et passa sa main sur ses hanches, faisant naître une myriade de frissons à la surface de sa peau.

— Bon sang, Jaya, les deux derniers jours vont m'achever…

— Moi aussi, répliqua-t-elle en se frottant contre lui. Je ne peux plus attendre… Oh !

Il venait de lui faire sentir l'ardeur de son érection, et se mettait à lui effleurer les seins du bout des doigts.

— Si tu ne me demandes pas de m'arrêter, prévint-il, je ne pourrai bientôt plus.

Comme elle gémissait, l'invitant à poursuivre ces caresses délicieuses, deux bruits simultanés l'interrompirent net : un coup frappé à la porte et le cri de Zéphyr.

Durant une fraction de seconde, ils restèrent pantelants, face à face, échangeant un regard désespéré.

— Oh non…, soupira-t-elle.

— C'est ta famille ?

Elle acquiesça en silence.

— Mieux vaut maintenant que dans cinq minutes, soupira-t-il. Va leur ouvrir. Je m'occupe de Zéphyr. Ça me donnera le temps de me redonner une contenance.

Contrite, Jaya lui donna un dernier baiser avant de partir accueillir leurs hôtes.

***

En dépit de son intense frustration, Theo était heureux. La douche écossaise que son stupide frère avait infligée à Jaya ne remettait pas le mariage en cause.

Tout en changeant son fils, il se dit encore que la jeune femme faisait preuve d'une capacité de compréhension hors norme. Durant les années à venir, il faudrait qu'il sache s'en montrer digne.

Il déposa un baiser sur le front du bébé avant de l'emmener dans le salon. Il entendait s'y élever des voix puissantes, qui lui semblait-il parlaient en pendjabi ; dès qu'il pénétra dans la grande pièce, le volume baissa et les conversations devinrent murmures. En préparant le mariage traditionnel indien avec Jaya, il avait appris quelques mots de la langue natale de celle-ci. Toutefois, cela ne lui permettait pas de comprendre de quoi il était question en ce moment.

Etant donné l'histoire de sa propre famille, il n'était pas en position de juger les problèmes de celle de sa promise. D'ailleurs, ces derniers temps, chaque fois qu'elle évoquait les siens, c'était toujours avec plus de douceur, moins de ressentiment. Theo comptait sur la solidité de leur relation pour l'aider, petit à petit, à surmonter les injustices qu'elle avait vécues pendant son adolescence. Pour cela, il devait lui faire comprendre qu'elle pourrait toujours compter sur lui, qu'il était là pour la défendre et que rien ne le ferait dévier de cette mission.

Et c'était heureux, songea-t-il, car la brochette d'invités qui se trouvaient dans la pièce ne semblaient guère être là pour prononcer des paroles d'amour. On aurait plutôt dit une faction de soldats autour de son chef, un grizzli à barbe grise, qui tenaient sous leur coupe une femme en sari vert et un homme âgé. Les couleurs chatoyantes de leurs vêtements contrastaient avec leurs bagages d'un blanc immaculé. Ce qui le frappa d'abord, ce fut la manière dont les femmes semblaient se recroqueviller pour disparaître, alors que les hommes bombaient le torse.

Jaya, gagnée par une nervosité évidente, se tenait à quelque distance. Quand Theo croisa son regard, il eut l'impression qu'elle tentait de s'excuser.

Il serra les poings. Il avait nagé à contre-courant toute sa vie et savait comment affronter des créatures hostiles.

— Bienvenue, déclara-t-il en pendjabi.

Il reconnut dans la femme en vert la mère de Jaya, et son père dans le vieil homme au regard confus.

— Jaya était impatiente de vous voir, enchaîna-t-il.

Il détestait qu'on parle à sa place quand il était présent, et il espéra que la jeune femme ne lui en tiendrait pas rigueur : il cherchait à briser la glace.

Serrant plus étroitement son fils contre lui, il reprit :

— Ce jeune homme attendait également de rencontrer sa *naniji*, qui est… *gurditta* ?

La femme en sari vert acquiesça, versa une larme et l'essuya aussitôt en sortant son mouchoir. Theo s'approcha lentement d'elle et lui donna Zéphyr, qu'elle tint dans ses bras avec émotion. Ses larmes étaient de joie quand elle fit sauter l'enfant sur ses genoux. Ravi, Theo glissa un coup d'œil en direction de Jaya. Son bonheur faisait plaisir à voir. Elle se délectait de cette scène.

Non sans prudence, il toisa ensuite le grand ours barbu, avec un mélange de méfiance et de colère. Ce faisant, sans réfléchir, il se posta instinctivement à côté de Jaya et posa une main sur sa hanche. Son geste était sans doute trop familier, déplacé, mais ces gens devaient savoir que, s'ils insultaient sa future épouse, il prendrait l'offense pour lui ; qu'elle n'était plus une naïve jeune fille, seule et sans défense.

— Merci d'être venus, dit-il. Je suppose que le voyage

en avion vous a épuisés. Ma sœur a prévu une réception avec nos deux familles ce soir, mais vous avez quelques heures pour vous reposer.

Le grizzli, qui ne pouvait être que l'oncle de Jaya, marmonna quelque chose dans sa langue.

Theo se tourna vers sa fiancée. Tous les membres de sa famille étaient censés se débrouiller un peu en anglais — sauf son père, avait-elle précisé, avec qui toute communication était difficile à cause de ses handicaps.

Elle le regarda droit dans les yeux.

— Ils ne sont pas d'accord, déclara-t-elle.

— Pour dormir ici ? Parce que nous ne sommes pas encore mariés ?

Il se tourna vers eux.

— Je dormirai dans une suite attenante. Cet hôtel appartient à ma famille. Nous avons d'autres chambres.

Un des hommes afficha un air sévère en marmonnant des mots incompréhensibles.

— C'est à notre mariage qu'ils s'opposent, expliqua Jaya.

Le patriarche barbu lança deux ou trois courtes phrases d'un ton ferme. Sa nièce répondit avec la même fermeté, mais Theo percevait une tension réelle.

— Vous êtes un homme trop riche ! s'écria l'un des jeunes hommes. Nous ne pouvons pas payer une dot qui vous permette de conserver ce train de vie.

Il désigna les murs lambrissés et les plafonds à caissons du salon, qui exhalaient l'opulence.

— Ma sœur aurait dû réfléchir avant d'accepter. Jaya, es-tu si fâchée contre notre oncle que tu veuilles causer sa ruine ?

La jeune femme ouvrit la bouche pour répondre, mais Theo lui prit délicatement le poignet pour lui faire signe qu'il s'en chargeait. Il contenait avec effort la rage qui sourdait en lui, se concentrait pour demeurer impassible.

— Les dots sont illégales, déclara-t-il sèchement. Je vous ai faits venir ici parce que Jaya souhaitait la présence de sa famille à son mariage. Si vous partez, elle en sera blessée. Je ne peux pas le permettre.

Il soutint le regard du frère de Jaya, puis celui de son oncle.

— Jaya ? demanda alors son père, au milieu du silence, parlant pour la première fois depuis son arrivée.

Puis il sourit et caressa la petite jambe potelée de Zéphyr, toujours juché sur les genoux de sa grand-mère. Emue, Jaya sourit à son tour.

— Oui, c'est mon fils, murmura-t-elle.

Elle s'approcha de son père pour qu'il puisse mieux la reconnaître. Puis elle lui parla dans leur langue. Theo saisit seulement qu'elle évoquait le mariage et son fiancé. Il s'avança à son tour vers le vieil homme. Dès que celui-ci comprit qui il était, Theo récita quelques mots de présentation en pendjabi appris par cœur pour la circonstance. Le vieil homme hocha la tête ; des larmes de joie roulèrent sur les joues de Jaya.

Après avoir embrassé son père, elle se jeta au cou de Theo.

— J'ai l'intention de prendre soin de vos parents, déclara-t-il d'un ton froid à l'attention de son futur beau-frère. Partez si vous le voulez, mais il me semble que vous pourriez avoir envie de connaître les détails de ce que j'ai prévu pour eux.

Il planta son regard dans celui de l'oncle avant de suggérer, tout sourire :

— Et maintenant, Jaya, veux-tu me présenter au reste de ta famille ?

11.

Alors que la cérémonie avait officiellement commencé, Jaya s'inquiétait de faire subir un aussi long mariage à Theo. Certes, ils avaient écarté la formule du mariage indien complet, mais il en restait encore assez pour épuiser n'importe quel époux. Aussi fut-elle étonnée d'apprendre qu'il avait passé une heure en compagnie des membres mâles de sa famille sans lui en dire un mot. Elle en fut plus ennuyée encore quand son frère lui révéla que c'était au sujet des « arrangements » prévus par Theo pour ses parents.

— Chaque fois que notre oncle élevait une objection, Theo répondait : « J'y ai pensé, mais… » Notre oncle l'a sous-estimé. Et nous tous, nous t'avons sous-estimée.

Il la regardait comme s'il ne parvenait toujours pas à croire que sa sœur, traînée dans l'infamie, ait réussi à gagner le gros lot.

Dès qu'elle retrouva Theo au milieu de l'effervescence qui régnait partout dans le palace, Jaya l'interrogea. Elle voulait qu'il lui explique pour quelle raison il avait cru bon de la tenir à l'écart de ce qui la concernait si étroitement : l'avenir de ses propres parents.

— Deux raisons, dit-il. D'abord, je voulais que ton oncle comprenne qu'il ne peut plus te manipuler ou t'effrayer. Il va cesser de gagner le revenu supplémentaire que tu lui versais indirectement, parce que je vais offrir leur propre maison à tes parents, leur donner une rente mensuelle et payer une aide à domicile pour ton père. Si ton oncle souffre un jour de problèmes financiers et souhaite se tourner vers toi, tu seras seule à décider. C'est toi qui détiens le pouvoir, à partir de maintenant.

— Oh…

Stupéfaite, elle observa le silence un instant.

— Et la seconde raison ? finit-elle par demander.

— Je suis si furieux de la façon dont il t'a traitée que je ne veux plus jamais qu'il se trouve dans la même pièce que toi.

Durant la suite de la cérémonie, Jaya n'eut guère l'occasion de croiser son oncle. Deux cents invités remplissaient l'hôtel, et elle était sans relâche accaparée par tout ce monde. Des cousins venus de partout sur le globe avaient investi deux étages, des associés de Makricosta Resort affluaient, et elle retrouva ses amis de Bali et de Marseille.

Quentin et Bina furent les derniers à arriver sur place ; Theo avait veillé à leur réserver une suite le plus loin possible de la famille de Jaya, afin d'éviter tout incident.

Pourtant, l'un des moments les plus émouvants arriva quand sa tante, la mère de Saranya, ouvrit grand les bras à sa petite-fille. Toutes deux s'embrassèrent longuement et partagèrent leur chagrin. L'exil de Saranya avait privé la fillette d'une partie de sa famille. Enfin, une relation importante était restaurée. Jaya savait que sa cousine en aurait été très heureuse.

— Tout va bien ? s'enquit Theo en apparaissant subitement à son côté.

Il avait posé une main sur son épaule. Elle acquiesça, riant à travers ses larmes.

— Oh oui ! Je regrette seulement que ma cousine ne puisse pas voir que tu fais mon bonheur. Tu m'as rendu ma famille, Theo. Nous sommes en train de combler le vide qui nous a tous séparés si longtemps. Merci.

— Je voulais que tout cela s'arrange pour toi.

Son sourire était si tendre que Jaya oublia sa douleur la plus profonde : si son futur époux l'entourait de l'amour des autres, c'était pour mieux lui faire oublier ce qu'il n'éprouvait pas pour elle…

— Tu ne t'attendais pas à cela, si ? demanda-t-elle, changeant de sujet.

Car ils avaient relevé le défi, organisant un mariage qui unissait leurs cultures respectives et correspondait à leurs propres valeurs.

Theo balaya du regard la salle de bal drapée de velours rouge. Des guirlandes d'or tombaient depuis le plafond, comme des rais de soleil. Les enfants essayaient les uns après les autres les trônes des époux sous le *mandap* de fleurs. Les saris étincelants rivalisaient d'élégance avec les fourreaux italiens ; les gens dansaient et picoraient des mets exotiques sur les plateaux des serveurs.

— Bien sûr, dit-il en riant, en temps normal, ce serait une dose de sociabilité impossible à ingérer pour moi. Je ne regrette rien. Tout est magnifique.

Son regard se posa sur elle. L'admiration se lisait dans ses prunelles.

— Surtout toi, enchaîna-t-il. Je ne t'avais jamais vue sous ce jour, si… indienne. Tu es d'une beauté à couper le souffle.

Il sourit en contemplant les perles qui lui couraient dans les cheveux.

— Tu dois avoir l'impression d'avoir épousé une étrangère, plaisanta-t-elle en vérifiant que son bandeau rouge et or n'avait pas glissé de sa chevelure.

Son compagnon suivit des yeux les abondants bracelets d'or et de faux ivoire qui claquaient à ses poignets.

Elle portait une telle masse de breloques qu'elle avait l'impression d'être un présentoir de bijouterie !

Theo était somptueux, lui aussi. Il n'avait pas revêtu le costume indien traditionnel, mais une épée était ceinte à sa jaquette blanche.

— Merci d'avoir fait venir Adara et Rowan à la séance de henné, lui glissa-t-il. Elles étaient dévastées en apprenant que c'était réservé à la famille de la mariée.

— Ce sont mes amies ! Je voulais qu'elles soient là, bien sûr.

En fait, Jaya les considérait déjà comme ses sœurs. Elle rougit en se rappelant ce qui s'était passé.

— Elles t'ont dit que j'ai failli ne pas tenir jusqu'à la fin, quand on a fait mes pieds ?

Elle était particulièrement chatouilleuse de la voûte plantaire, et toutes les femmes avaient ri de bon cœur en la voyant serrer les dents et interrompre l'artiste à chaque instant. Ainsi morcelée, la torture avait été interminable.

— Il paraît que mes initiales sont cachées quelque part dans les dessins, dit-il d'une voix sensuelle. J'ai hâte de les chercher…

Un délicieux frisson la parcourut et elle détourna les yeux, gênée d'être si impatiente de se retrouver seule avec lui.

Nue.

Presque deux ans s'étaient écoulés depuis leur nuit de folie. Beaucoup de choses avaient changé — son corps, ses sentiments pour lui. Ce qu'elle éprouvait était beaucoup plus profond, aujourd'hui. Si l'artiste au henné avait dit vrai en affirmant que l'intensité de la couleur était fidèle à celle de ses sentiments pour son mari, alors ses tatouages ne s'effaceraient pas avant plusieurs années…

— Quand pourrons-nous partir ? chuchota-t-il d'une voix rauque.

A ces mots, le désir fusa dans les veines de Jaya. Theo avait posé la main sur son épaule nue, qui brûlait sous cette caresse. Lorsqu'il effleura le bas de son visage de ses lèvres closes, sa respiration se bloqua, et son besoin de le sentir contre elle augmenta encore d'un cran.

— Tu me tues, insista-t-il. Dis-moi, quand ? Dans une heure ? Je vais encore devoir attendre beaucoup ?

Elle avait si chaud… Sa respiration était haletante. Levant le visage vers lui, elle lui fit comprendre à quel point elle était impuissante à juguler les émotions qu'il lui inspirait. Un tintement métallique lui fit hausser sur la barre ; elle réalisa qu'il s'agissait de ses bijoux, qui suivaient le rythme de ses frissons.

L'expression tourmentée de Theo la convainquit d'aller au bout de son élan :

— Maintenant !

Jaya n'aurait pas été victime d'un vertige plus puissant si Theo l'avait soudain soulevée pour fendre les airs vers le ciel. Lui prenant la main, il lui fit traverser la grande salle de bal. Elle pria silencieusement pour ne pas avoir à saluer toute cette foule. La passion qui montait entre eux était si intime, si accaparante qu'elle voulait la protéger.

Demitri interrompit leur fuite en se plantant devant eux, une trace de rouge à lèvres sur la joue.

— Eh, lança-t-il, c'est mon tour de danser avec la mariée !

— Trop tard, lança sèchement Theo. Tu as une chance de te racheter en te chargeant de nous excuser auprès des invités. Nous partons.

Son beau-frère n'eut pas le temps de répliquer, et ils

disparurent en riant comme deux enfants qui faisaient l'école buissonnière.

Ils avaient couru si vite qu'ils étaient tous deux à bout de souffle en parvenant devant la cage d'ascenseur.

— Nous devrions au moins dire au revoir à Zéphyr, protesta Jaya, amusée par le sourire goguenard de Theo.

Il lui faisait tourner la tête !

— Le seul mâle qui a battu Demitri côté séduction cette semaine, c'est mon fils. Nous ne lui manquerons pas, il sera bien entouré.

Theo laissa échapper un soupir de frustration quand ils purent enfin s'engouffrer dans l'ascenseur et qu'il la détailla de la tête aux pieds.

— Cette intimité dont nous ne pouvons profiter me rend fou ! Vivement que nous arrivions à Rosedale !

Ils parvinrent sur le toit et accédèrent à la plate-forme réservée à l'hélicoptère. Le vent chaud fronçait leurs vêtements. Jaya aperçut un pilote en uniforme, qui toucha sa casquette en signe de respect et vint l'aider à grimper dans l'appareil.

Elle se tourna vers son époux.

— Tu ne conduis pas ? s'étonna-t-elle.

Il sourit en s'installant avec elle sur les confortables sièges des passagers.

— On dit « piloter », rectifia-t-il.

Il accepta la coupe de champagne que lui tendait le copilote pour la donner à Jaya, avant d'en décliner une pour lui. Puis, il lui prit la main dans la sienne et caressa l'alliance qui brillait à son annulaire.

— Je savais que je ne penserais plus qu'à nous à ce stade de la soirée, avoua-t-il. Ce qui n'aurait pas été le meilleur moyen de nous faire arriver à bon port ! Cette équipe est celle de Nic. Les deux pilotes connaissent par cœur le trajet. Le plan de vol est tout fait.

Jaya hocha la tête, heureuse que Theo ait été si prudent,

et boucla sa ceinture. Peu après, l'appareil s'éleva dans le ciel, puis prit tant de hauteur qu'Athènes et le ciel se confondirent dans leur brouillard de lumières. La lune semblait immense et leur offrait un doux halo.

Theo l'attira contre lui, prit son menton et se pencha sur ses lèvres pour l'embrasser. Sa bouche de velours l'ensorcelait, sa langue vint à la rencontre de la sienne. Le cœur de Jaya battait à coups redoublés : c'était un baiser incroyablement langoureux, l'incitant à s'offrir entièrement. Des sensations électriques pulsaient dans sa poitrine, dans son ventre, entre ses cuisses.

Ils étaient dans un autre monde, une bulle de bruits étouffés dans le clair-obscur, rythmés par le chuintement feutré des pales. D'une main fiévreuse, Jaya s'aventura sous la veste de son mari, caressant son gilet pour gagner, dessous, la soie de sa chemise. Il émit un son rauque et glissa les doigts sur ses genoux pour mieux s'infiltrer le long de ses jambes, puis remonter vers ses hanches, sa taille et ses seins. Bientôt, elle sentit son pouce tracer des cercles autour de ses tétons dardés. Enivrée d'érotisme, elle s'enfonça dans son siège avant de le repousser.

— Je t'en prie, arrête !

— Je suis désolé…

Il se rajusta et soupira.

— J'ai mal compris, reprit-il. Je croyais que tu en avais envie.

— Tu as très bien compris, souffla-t-elle en posant la tête sur son épaule. Mais si tu vas plus loin, j'ai peur de… Pas ici. Pas maintenant. Pas en présence de ces hommes que je ne connais pas.

Theo lui prit la main et la serra. Elle percevait sa force jusque dans sa paume. Le son qu'il laissa échapper de ses lèvres se situait à mi-chemin de la résignation et du désespoir. Comme elle allait reculer, il l'attira plus près, et ils restèrent ainsi, enlacés, jusqu'à la fin du vol.

L'hélicoptère se posa sur l'immense terrain d'une villa. Theo lui avait dit qu'il s'agissait d'un manoir à l'anglaise, patiemment édifié sur une île grecque. Nic et Rowan leur offraient leur chez-eux pour leur nuit de noces. L'île étant déserte, c'était la garantie d'une intimité parfaite.

Dès qu'ils pénétrèrent dans la maison, Theo l'entraîna vers l'escalier. En bas de celui-ci, ils croisèrent une gouvernante qui eut à peine le temps de leur dire qu'elle était à leur disposition s'ils avaient besoin de quoi que ce soit : dans sa hâte, Theo ne s'arrêta pas.

— Es-tu fâché ? s'enquit Jaya, en grimpant les marches à sa suite. Tu as l'air contrarié.

— Contrarié d'avoir failli oublier toute bienséance quand nous sommes montés dans l'hélicoptère ? Un peu. Et prêt à devenir fou.

Impatient, il jeta son épée dans l'escalier. Suivirent aussitôt la jaquette, le nœud papillon et les chaussures.

— Tu as peur de moi, maintenant ? ajouta-t-il, comme elle écarquillait les yeux.

— Pas vraiment, non, s'esclaffa-t-elle, mais si la gouvernante revient et qu'elle te trouve ainsi, avec tes vêtements partout ?

— Elle ne reviendra jamais sans y avoir été invitée, rétorqua-t-il en jetant son gilet en l'air.

— Je te trouve un peu…

Elle cherchait le mot juste. Son impatience l'amusait et la rendait aussi un peu nerveuse. Et s'il était déçu ? Et si elle n'était pas à la hauteur de ses attentes ?

— Agressif ? suggéra-t-il. Précipité ? Dépêche-toi, ma

femme adorée. L'une de ces chambres a été décorée tout spécialement pour nous, cette nuit. Je te fais confiance…

— Tu me fais confiance, répéta-t-elle, alarmée. Mais pour quoi ? Que veux-tu dire ?

Son anxiété augmentait, mais à l'instant où ils pénétrèrent dans leur suite, elle fut subjuguée par ce qui l'entourait.

— Oh ! C'est si gentil à eux d'avoir fait tout cela…

Une délicieuse odeur marine flottait dans l'air, grâce aux grandes fenêtres ouvertes donnant sur une somptueuse terrasse qui dominait la mer. Le ressac faisait entendre son doux murmure. Des bougies flottaient dans de grands globes de verre coloré et procuraient une lumière tamisée, dont les reflets changeants avaient un effet magique sur les draps immaculés d'un immense lit à baldaquin.

Un plateau de mets raffinés était posé sur un chariot, mais Jaya n'avait guère envie de se pencher sur son contenu pour le moment. En effet les flammes vacillantes des bougies éclairaient le torse nu de son mari, mettant en relief le dessin de ses pectoraux parfaits, de ses épaules rondes et puissantes. Frémissante d'excitation, elle s'aperçut qu'elle tremblait trop pour retirer convenablement ses vêtements ; elle ôta la bague de sa grand-mère, qu'elle portait à l'index, selon la tradition.

Theo se dirigea lentement vers elle, tel un prédateur certain d'avoir acculé sa proie. Les effluves si masculins de son parfum la grisèrent. Dans ce léger vertige, hypnotisée, elle glissa les doigts dans la fine toison noire qui courait sur son ventre.

— Je ne sais toujours pas ce que tu voulais dire, en déclarant que tu me faisais confiance, murmura-t-elle.

— Je te fais confiance pour m'avertir si je suis trop brusque, dit-il. Bon sang, tu trembles !

Elle sourit.

— Oui. Parce que j'ai envie de te caresser, que ton corps soit sur le mien…

Elle lui lança un regard désespéré en désignant sa tenue invraisemblable.

— Mais je n'arriverai jamais à me dévêtir toute seule, reprit-elle.

Le baiser par lequel il lui répondit fut passionné, brûlant. C'était si bon qu'elle s'y perdit, savourant le goût de miel de sa bouche affamée, répondant à l'ardeur de son mari par la sienne. Il y avait maintenant des semaines qu'ils s'en tenaient aux baisers, jugulant leur désir. Elle rêvait de le sentir en elle. Impossible d'attendre plus longtemps !

Theo la précipita sur le lit pour la défaire de son sari, de ses couches de jupes et jupons. Alors, elle s'accrocha à son cou. Leurs regards s'arrimèrent l'un à l'autre. Leurs lèvres ne se séparaient pas, et leurs mains fiévreuses couraient sur la chair de l'autre, toujours plus audacieuses.

Eperdue de désir, Jaya gémissait chaque fois que son mari lui effleurait la peau, décuplant ainsi la force des ondes électriques qui la traversaient. Elle s'abandonnait, se coulait contre son corps viril, s'ouvrait à lui.

Quand il lui saisit les fesses à pleines mains, elle renversa la tête en arrière. Oh oui, elle avait envie que cela ne s'arrête jamais, qu'il sache quel plaisir il lui donnait !

Son corps tout entier vibrait d'extase, s'épanouissait comme une fleur découvrant la lumière du soleil.

Enfin, il la débarrassa de ses sous-vêtements et se libéra lui-même pour apparaître entièrement nu devant elle. Jaya planta les ongles dans son dos quand il se pencha pour embrasser ses seins gonflés, titiller leurs tétons du bout de la langue, la pousser aux limites de la folie en lui prodiguant le plaisir le plus intense. Elle était en fusion et se laissait porter sur un rythme d'ondes incandescentes.

Enfin, il se positionna au-dessus d'elle et la pénétra d'un vigoureux coup de reins. Le plaisir était si puissant qu'elle en fut chavirée, ouvrant encore ses jambes pour lui permettre de s'enfoncer davantage en elle.

Ce qu'elle éprouvait était bouleversant. Aux délices de leurs chairs unies s'ajoutait l'émotion de faire l'amour avec son époux. Elle entendait leurs deux cœurs battre à l'unisson.

Ils s'embrassaient sans relâche, entre voracité, tendresse et ardeur renouvelée. Ensemble, ils ondulaient sur un rythme primitif de plus en plus indomptable. Jaya avait l'impression de se confondre avec ce torrent de lave furieux. Quand elle sentit son plaisir atteindre les cimes, elle hoqueta :

— Theo ! Je…

— Oui, moi aussi, répondit-il. Maintenant, Jaya. Oui, oui !

A l'image de l'univers en expansion, elle se laissa submerger par l'orgasme, désormais certaine qu'ils étaient réunis de la manière la plus parfaite.

Ils ne faisaient qu'un.

Allongée sur le ventre en travers du lit, Jaya laissait son mari caresser délicatement son corps nu et découvrir les dessins de henné jusque sous ses pieds. Chaque fois qu'il la chatouillait, elle donnait un petit coup d'orteil sur son front, et ils riaient ensemble.

— Ça y est, déclara-t-il en embrassant son mollet gauche.

— Tu en es sûr ?

Elle se redressa pour se pencher plus habilement sur sa jambe et examiner l'inscription : « T.M. » Les deux lettres, superbement tracées, formaient comme un sceau à l'ancienne.

— Tu ne crois pas que j'aurais dû demander que le tatouage soit définitif ? demanda-t-elle.

— Tu le ferais ? s'étonna Theo.

Elle lui retourna un regard tendre. Il était follement sexy, une ombre grise sur la mâchoire, les cheveux ébouriffés.

Il s'appuya sur les coudes pour la dévorer des yeux.

— Oui, si cela te plaît, répondit-elle d'un ton enjôleur. Mais tu préférerais peut-être que ce soit à un autre endroit ?…

Jaya adorait flirter ainsi avec lui, et il y avait maintenant des heures qu'ils exploraient toutes les nuances de la luxure. Jamais ils n'étaient rassasiés l'un de l'autre, qu'ils fassent l'amour au lit, sous la douche ou sur la terrasse.

La nuit avait été blanche et, au-dehors, le jour se levait. Des oiseaux chantaient. Une petite brise maritime secouait les branches des citronniers en fleur. L'hélicoptère viendrait les chercher en fin d'après-midi, et ils entendaient bien profiter des quelques heures de lune de miel qu'il leur restait.

Une paire d'yeux bruns et virils caressa son corps d'un regard affamé, et Jaya frémit. Seigneur, elle avait encore envie de lui !

— Je n'ai pas de parcelle favorite. Chaque partie de ton corps me rend fou.

— Je n'aurais jamais cru vivre ainsi un jour, avoua-t-elle en cillant. Nue et heureuse d'être nue avec mon homme… Merci d'avoir rendu ce miracle possible.

Elle effleura ses lèvres des siennes en savourant son bonheur.

— Vraiment ? Quand je me rappelle notre nuit à

Bali, je dois dire qu'elle était extraordinaire ; mais à côté de ce que nous venons de vivre…

Elle sourit.

— Cette nuit-là est ancienne. Alors que notre nuit de noces… Je voudrais qu'elle ne se termine jamais !

— Moi non plus. Et puisque j'ai pu avoir une deuxième chance, cette fois, je veux m'en montrer digne. Dis-moi ce que je dois faire pour que tu sois pleinement heureuse ?

« M'aimer », songea-t-elle, non sans un pincement au cœur. Hélas, ni elle ni lui ne pouvaient dicter cela. Pourtant, quand il la caressait ainsi, avec une tendresse infinie, dans la torpeur de leurs étreintes, Jaya se sentait aimée.

12.

Pour un homme qui n'avait jamais désiré avoir ni femme, ni enfant, Theo avait l'impression de se couler avec une étonnante facilité dans le rythme de la vie conjugale. Il en était le premier étonné — même si quelques efforts d'adaptation étaient requis ici ou là —, car il avait toujours cru dur comme fer que la mission relevait de l'impossible.

Certes, il avait ressenti une vague angoisse en prenant la décision de mettre en location son appartement de célibataire à New York, et leur vie avait été un peu chamboulée quand il avait dû s'occuper d'un gros problème au sein de Makricosta Resort à Sydney. Pour couronner le tout, à cette époque, la nourrice à plein temps n'était toujours pas arrivée dans leur nouveau logement.

Ce n'était toutefois que peccadilles à côté de l'existence dorée dont il jouissait auprès d'une épouse chaleureuse, attentive, intelligente et belle.

Depuis leur installation, six semaines plus tôt, Jaya avait repris le travail : elle était maintenant intégrée à la direction du groupe, où elle avait choisi de mener un nouveau projet en tandem avec lui. A eux deux, ils coordonnaient toute une équipe. Bien des gens considéraient que travailler en couple était la garantie d'un désastre, mais lui était convaincu du contraire. Jaya et lui étaient complémentaires, et leur équipe accomplissait des merveilles.

Ce soir, ils combinaient travail et plaisir puisqu'ils savouraient un dîner au restaurant de l'hôtel Makricosta tout juste rénové, en l'honneur des couples qui œuvraient avec eux. Chargée du discours, Jaya repoussa sa chaise et se mit debout. Puis elle leva gracieusement son verre devant la petite assemblée.

— Il y aura toujours un moment où nous demanderons à votre mari ou à votre femme de travailler un peu plus tard, et nous tenons à ce que vous sachiez que nous avons conscience du sacrifice que cela représente, déclara-t-elle après quelques paroles de remerciements et de bienvenue.

Si elle avait le trac, elle n'en montrait rien.

— Nous ne pourrons pas non plus dîner toujours tous ensemble ainsi, enchaîna-t-elle. Il y aura des paniers sandwichs à minuit plus souvent qu'on le souhaiterait, mais, aujourd'hui, notre réunion a été très fructueuse. Si nous poursuivons dans cette voie, nous célébrerons bientôt le succès de notre projet.

Theo buvait ses paroles. Avec un sourire amusé, Jaya se tourna vers lui et ajouta :

— A condition que le budget le permette.

— Je le garantis, acquiesça-t-il en riant.

Il entendit alors l'épouse d'un de leurs spécialistes de l'information souffler à l'oreille de son mari :

— Ils sont fous amoureux l'un de l'autre…

Comme elle avait parlé pendant un silence général, toute la tablée avait profité de son commentaire. S'en apercevant, l'infortunée gaffeuse porta une main à ses lèvres et balbutia :

— Oups… Excusez-moi.

Jaya paraissait mortifiée, mais tout le monde riait.

Theo avait l'impression d'avoir été jeté tout nu devant ses employés.

Etait-ce ce dont il s'agissait ? C'était ça, *l'amour* ?

Sa vulnérabilité était telle en cet instant qu'il évita soigneusement de croiser le regard de la jeune femme. Adara, qui ne le quittait pas des yeux, intervint en souriant :

— Ce tandem nous rend très fiers, déclara-t-elle à la cantonade. Même si Theo ne s'était pas marié, j'aurais voulu que ce soit Jaya qui dirige le projet avec lui. Et leur entente parfaite vous aidera tous à trouver toutes les réponses que vous cherchez, afin de parvenir au meilleur résultat.

Gideon fit une remarque au sujet du langage codé de tous les jeunes mariés, mais Theo n'y prêta guère attention. Le rideau lumineux qui les entourait, dans le salon privé du restaurant, était censé représenter une chute d'eau ; l'image était parfaite, car il était certain d'être en train de se noyer dans des rapides. Une pression douloureuse lui bloquait la poitrine. Il étouffait. Le bourdonnement de ses oreilles couvrait la musique. Le cristal des verres sur la table avait l'aspect menaçant de stalactites coupantes.

De toutes ses forces, il se contraignait à demeurer impassible, à se composer une façade — comme il l'avait toujours fait.

Jaya était pratiquement certaine que plus jamais elle ne parviendrait à manger. Avec effort, elle faisait entrer des petits-fours dans sa bouche, mais son estomac se révoltait. Elle ferma les yeux pour avaler le petit morceau de tomate au basilic sur toast, malgré son envie furieuse de prendre ses jambes à son cou et de se terrer sous terre, pour oublier l'horrible mensonge auquel tout le monde semblait croire.

Non, son mari ne l'aimait pas.

Elle aurait tout donné, pourtant, pour que cela arrive.

Chaque matin, en s'éveillant près de lui, elle priait pour que le jour qui commençait soit celui de ce miracle. Mais en six semaines de mariage, malgré leur bonheur, jamais il n'avait exprimé de sentiments pour elle.

Et maintenant… Elle devait rester sagement assise à une tablée de collègues et se raccrocher à la certitude que sa nouvelle existence continuerait à la combler.

Elle était heureuse, c'était indéniable. Theo se montrait très attentif, précédant chacun de ses désirs. Il avait entièrement bouleversé son quotidien pour leur fils et elle, leur fournissait un train de vie extravagant et ménageait autant de temps que possible pour être auprès d'eux.

Quant à leur intimité… Ils se gardaient de tout geste déplacé en public mais, dès les portes de leur chambre fermées sur eux, ils assumaient d'incarner le cliché des jeunes mariés insatiables, ne se détachant jamais l'un de l'autre. Leurs journées commençaient et se terminaient par de fiévreuses étreintes, et ils dormaient étroitement enlacés.

Alors quelle importance, se dit-elle, si les gens pensaient qu'ils étaient amoureux alors que ce n'était vrai que pour elle ? Elle était quand même chanceuse, non ?

« Ne gâche pas tout, Jaya. Ne sois pas impatiente, lui soufflait sans cesse une insidieuse petite voix. Et ne renonce pas. Ne perds pas espoir. »

La réception fut cependant la plus longue de sa vie, et elle ne fut apaisée que lorsque sonna l'heure des au revoir. Dans le hall, Theo lui posa son étole de laine sur les épaules.

— Tu vas bien ? demanda-t-il.

C'était à peine s'il lui avait adressé un seul regard de toute la soirée…

— Oui, marmonna Jaya en ignorant la douleur qui lui transperçait la poitrine.

De l'autre côté de la pièce, Gideon soulevait les cheveux d'Adara pour l'embrasser dans la nuque. Jaya vit le regard qu'ils échangèrent avant de s'embrasser amoureusement.

Elle avait envie de pleurer. Malgré ses efforts, sa patience était à bout : elle n'en pouvait plus de cacher à son époux tout l'amour qu'elle lui portait.

— Ne me mens pas, insista Theo.

Péniblement, elle releva les yeux vers lui. Il allait deviner son chagrin. Dire qu'elle avait un jour pensé que le pire, dans la vie, était d'être un poids financier pour son oncle ! Non, il était bien pire d'aimer sans retour…

— Adara, appela Theo.

— Oui ? répondit celle-ci, visiblement étonnée par l'expression de gravité sur le visage de son frère. Quelque chose ne va pas ?

Jaya avait l'étrange pressentiment que sa belle-sœur avait tout deviné. Cette dernière avait eu l'air de réaliser l'ampleur de la maladresse commise ce soir. Cela aurait pu être un soulagement, mais elle en était mortifiée. Oui, *tout le monde* savait qu'elle vivait un amour à sens unique. Quelle humiliation…

— Tu veux bien passer chez nous en rentrant et prendre Zéphyr pour la nuit ? enchaîna Theo. Je vais envoyer un message à la baby-sitter.

— Oui, bien sûr. Mais que…

— Nous ne rentrons pas directement ? intervint Jaya.

— Non, nous resterons dans la suite familiale, ce soir.

— Mais…

Adara l'interrompit en posant doucement la main sur son bras :

— Cela nous fera plaisir d'avoir Zéphyr, Jaya. Et puis Theo ne nous demande jamais rien, alors pour une fois…

Puis, elle murmura très bas à son oreille :

— S'il te plaît, ne renonce pas.

Elle s'éclipsa aussitôt au bras de Gideon.

— Cela n'a aucun sens ! s'exclama Jaya une fois qu'ils furent seuls. Pourquoi fais-tu cela ?

— C'est parfaitement sensé, au contraire. Nous savons tous deux que nous avons besoin de parler.

Frissonnant, elle serra son étole sur ses épaules et le suivit vers l'ascenseur.

— Je n'ai aucune envie de discuter, maugréa-t-elle.

Son problème ne regardait qu'elle. Un jour, peut-être, il finirait par l'aimer ; mais elle n'allait pas l'y contraindre.

— Renversement de situation intéressant, dit-il en appuyant sur le bouton, comme les portes de l'ascenseur se refermaient sur eux.

— Comment cela ?

— Eh bien ce soir, visiblement, c'est toi qui n'as pas envie de parler. Alors que tu m'as appris que c'est la seule façon de surmonter une difficulté. Aurais-tu changé d'avis ?

— Non, mais je… Je n'en vois pas l'utilité ce soir, balbutia-t-elle.

— Pourquoi ?

— Parce que je ne veux pas entendre une nouvelle fois que tu ne m'aimes pas et que tu ne m'aimeras jamais ! s'emporta-t-elle.

Les mots lui avaient échappé et elle fut la première surprise de son éclat. Tremblante, elle se blottit encore dans son étole et détourna la tête. Dans le long silence qui suivit, Theo poussa un profond soupir.

Mais il ne dit rien.

— Voilà ! lâcha-t-elle, à bout de nerfs. Maintenant, tu te refermes comme une huître et c'est toi qui…

— Ce n'est pas facile pour moi, Jaya ! coupa-t-il avec humeur. Je ne sais même pas comment aimer ! Je me sens bizarre chaque fois que j'embrasse mon fils. C'est comme si… comme si plus je découvre que j'ai besoin de lui, plus j'ai l'impression qu'il risque de disparaître de ma vie.

— Mais je ne ferai jamais une chose pareille ! protesta-t-elle en le suivant dans le corridor menant à la suite. Et je n'essaie pas non plus de te voler ton cœur. L'amour n'est pas quelque chose dont on doit avoir peur !

— Je le sais. De là à ce que les gens sachent mieux que moi ce que je ressens…

Il ouvrit la porte et l'invita à s'installer avec lui dans le salon.

— Quand cette femme a déclaré que nous étions amoureux, tout à l'heure, j'ai cru devenir fou. Je ne voulais pas qu'on sache ce que j'éprouve pour toi. Cela me rend trop fragile.

Elle resta bouche bée. Ce n'était pas la déclaration qu'elle espérait depuis si longtemps, mais…

— Que… Que veux-tu dire ? articula-t-elle avec peine, le cœur battant.

— La dernière chose que je ressente avec toi, c'est de la peur. Quand je rentre chez nous, le soir, je suis soulagé, comme si une douleur impossible à identifier cessait. Je suis si follement heureux de te voir que c'en est embarrassant. C'est de l'amour ? Tu es la seule à pouvoir me le dire. Je n'ai jamais éprouvé cela vis-à-vis de quelqu'un d'autre. Et je suis certain que cela n'a rien à voir avec l'affection que je porte à ma sœur.

Jaya porta une main à sa poitrine pour se contraindre à respirer : elle avait l'impression que ses poumons restaient bloqués. Enfin, elle parvint à retrouver sa voix pour murmurer :

— Chaque fois que je te vois, je me sens emplie de

joie. Parce que je suis chez moi près de toi, quel que soit le lieu où nous nous trouvons.

— Quand tu dis des choses comme ça, j'ai presque envie de ne pas y croire. Il y a trop longtemps que je me suis contraint à rester insensible, à ne pas avoir envie, besoin de cette sensation que décrivent si bien tes mots. Je me reprends à espérer.

— A espérer quoi ?

Quelque chose de merveilleux s'éveillait en elle aussi. Une bulle d'optimisme qui pouvait éclater à tout instant.

Theo s'approcha d'elle et plongea le regard dans le sien.

— Espérer que tu puisses m'aimer un jour.

Le temps s'était suspendu. Jaya resta paralysée, et il lâcha dans un soupir :

— Je suis vraiment un imbécile.

Elle l'empêcha de détourner les yeux et s'approcha plus près.

— Oh ! Theo… J'ai cru que, si je t'avouais à quel point je t'aime, tu en serais terrifié. Que tu prendrais cela comme une pression, que tu te sentirais coupable de ce déséquilibre entre nous. Mais je regrette de m'être tue. J'aurais dû te le dire.

Il haussa les sourcils.

— Que tu m'aimes ? C'est ça, alors ? Le sentiment que, si nous ne nous comprenons pas, je vais mourir dans la solitude ? Que si j'ai mal, je ne veux être auprès de personne sinon toi ? Et que si tu es là, je peux tout supporter ? C'est… *l'amour* ?

Les yeux embués de larmes, elle hocha la tête.

— C'est exactement cela pour moi, confirma-t-elle. Je veux te dire des choses que je ne dirais jamais à personne d'autre.

Il posa les mains sur son visage, une lueur d'adoration dans les prunelles.

— Dans ce cas, Jaya, je t'aime depuis très longtemps.

***

Le cœur de Jaya s'était gonflé et occupait toute sa cage thoracique. Il battait si fort qu'elle en avait le souffle coupé. Ses lèvres tremblaient tant qu'elle était incapable d'articuler un son. Aussi se perdit-elle dans le baiser de Theo, qui, d'infiniment tendre au début, se fit peu à peu plus passionné. Elle voulait lui exprimer tout son amour dans cette caresse.

— Je suis vraiment désolée de ne te l'avoir pas dit…

— Chut, souffla-t-il. Je n'aurais pas dû t'infliger cette attente non plus. Si seulement j'avais su…

— Je sais, maintenant. Et tu le sais. Je t'aime.

Elle l'embrassa de plus belle, incapable de dominer son émotion. Il s'écarta doucement pour lui sourire, espiègle.

— Nous avons gagné une nuit de baby-sitting gratuite !

Elle s'esclaffa.

— Comment ne pas t'aimer, ne serait-ce que pour cela.

Elle débordait de joie de le voir si détendu. C'était comme s'il s'était libéré d'un carcan pour se rendre entièrement disponible.

Elle poussa un cri de surprise quand il la souleva de terre pour la conduire vers la chambre. En riant, elle laissa tomber ses chaussures sur le sol.

— Tu crois que nous allons dormir, cette nuit ? le provoqua-t-elle.

— Tu es maîtresse de ce jeu-là, tu le sais bien.

Il s'allongea près d'elle après l'avoir déposée sur le matelas.

— Mais si tu m'accordes toute cette nuit, ajouta-t-il, je ferai en sorte que tu ne le regrettes pas…

Il tint sa promesse — merveilleusement.

Plusieurs heures plus tard, ils tremblaient encore de

la force de leur plaisir. Le souffle court, enlacés, leurs corps restaient collés l'un à l'autre. Theo écarta délicatement quelques cheveux collés sur la joue de Jaya et riva son regard au sien.

— Je t'aime. Je t'aimerai toujours. Merci d'être ma femme, mon amour.

Si vous avez aimé *L'héritier des Makricosta*
découvrez sans attendre le précédent roman de cette série :

Une tumultueuse union, Dani Collins, juillet 2015

Disponible dès à présent sur www.harlequin.fr

Composé et édité par HARLEQUIN

Achevé d'imprimer en juillet 2015

Barcelone

Dépôt légal : août 2015

Pour l'éditeur, le principe est d'utiliser des papiers composés de fibres naturelles, renouvelables, recyclables, et fabriquées à partir de bois issus de forêts qui adoptent un système d'aménagement durable. En outre, l'éditeur attend de ses fournisseurs de papier qu'ils s'inscrivent dans une démarche de certification environnementale reconnue.

Imprimé en Espagne